L'ART DE REVENIR
À LA VIE

MARTIN PAGE

L'ART DE REVENIR
À LA VIE

r o m a n

ÉDITIONS DU SEUIL
25, bd Romain-Rolland, Paris XIVe

ISBN 978-2-02-117496-0

© Éditions du seuil, avril 2016

www.seuil.com

No one expected me. Everything awaited me.

Patti Smith

Le livre doit être pris comme le montage ou l'installation, ici et là, de pièces et rouages d'une machine. Parfois des rouages, tout petits, très minutieux, mais en désordre, et d'autant plus indispensables. Machine de désir, c'est-à-dire de guerre et d'analyse.

Gilles Deleuze

Repousser ce moment où l'instant capitule. Pousser les pieds la nuit. S'étirer tranquillement et prendre de la place. Se donner de la place.

Thomas Vinau

Don't let the bastards get ya down.

Rihanna

L'être humain est le seul animal qui fait toujours autre chose que ce qu'il croit faire.

Comme on ne parle pas pour parler, on n'aime pas pour aimer, on ne voyage pas non plus pour aller quelque part. Le but est toujours un mirage. La véritable raison n'apparaît que plus tard. Tant mieux : sans leurre on ne bougerait pas de chez soi et on ne découvrirait pas une vérité qu'on a évitée jusque-là.

Ce matin d'avril, je vais à Paris pour une raison précise et je ne sais pas encore que ce périple m'entraînera dans des aventures très éloignées de mon but initial.

Le train passe sous le pont de la rue Doudeauville, dans quelques instants il s'arrêtera gare du Nord. Je referme mon carnet de notes.

Demain j'ai rendez-vous avec Sanaa Okaria, une

productrice. Elle veut m'engager pour travailler sur l'adaptation d'un de mes romans. Me replonger dans ce texte vieux de dix ans ne m'enchante pas, mais j'ai besoin d'argent, alors toute proposition de travail est bonne à prendre. Je publie des livres depuis quinze ans. Ma situation financière ressemble à un tour de grand huit à la fête foraine. Ce n'est pas reposant, ça remue, mais je m'en sors, il suffit de bien s'accrocher. C'est une belle vie d'aventure.

Pour des raisons financières et d'homéostasie psychologique, j'ai quitté Paris il y a quatre ans pour m'installer dans la campagne bruxelloise avec Coline, ma compagne. Notre fils, Cyrus, est né il y a dix mois. Je repasse à Paris de temps en temps, en coup de vent, jamais plus d'une journée, pour un déjeuner avec un de mes éditeurs, des retrouvailles avec une amie ou un ami ou un rendez-vous professionnel.

J'ai aussi accepté le rendez-vous avec Sanaa Okaria parce que j'aime me mettre dans des situations inconfortables. Toute expérience d'écriture est la bienvenue. Depuis quinze ans, en plus de mes livres, j'ai eu l'occasion d'écrire des chansons, des articles, une pièce radiophonique, les discours du directeur d'une grande institution culturelle, la présentation d'une série de jeux vidéo pour enfants mettant en scène un hippopotame farceur… J'anime des ateliers d'écriture dans des écoles et des prisons. Tous ces travaux épisodiques, même les plus anodins, même les plus absurdes, même ceux qui ont l'air très encadrés, m'apportent quelque chose.

La période est spéciale. Mon stylo n'a pas bougé de ma table de travail face au jardin depuis six semaines. Je n'arrive pas à achever mon nouveau projet. Ça tient à sa nature : c'est un livre sur mon père. Pour une fois, je quitte les rives du roman pour aborder l'autobiographie. J'ai commencé à écrire ce texte comme une bataille. J'y mets en scène mon père, sa personnalité, ses talents, sa maladie, la destruction de ses tableaux par les huissiers qui l'ont expulsé de son appartement, la violence de la société française contemporaine. Un livre éprouvant à écrire. Un livre qui, je l'espérais, secouerait le lecteur. Mais je suis incapable de le finir. C'est la première fois que ça m'arrive. La proposition d'écrire un scénario est séduisante : c'est une bonne excuse pour faire autre chose.

Sanaa Okaria a appelé il y a trois jours, la veille de notre départ pour un voyage en Suède prévu de longue date. Sitôt le combiné raccroché, je suis tombé malade. C'est une réaction normale chez moi : l'annonce d'une

11

nouvelle qui risque de changer mon quotidien me fait inévitablement basculer dans la maladie. Mon organisme aime la routine.

Le médecin a constaté la fièvre et m'a conseillé de me reposer. J'ai dit à Coline de prendre l'avion avec Cyrus, je les rejoindrais. J'étais trop faible, et puis j'avais peur de contaminer notre enfant. Coline était attendue à Göteborg pour enregistrer la partie thérémine d'un album de folk de vieux amis suédois. C'est la première fois que je suis séparé de mon fils aussi longtemps. C'est dur.

Quarante-huit heures durant, je suis resté au lit à boire des tisanes et à mettre des compresses sur mon front. J'allais crever, j'en étais sûr.

Le jour, à moitié sommeillant, je luttais pour lire ou regarder un film, je téléphonais, j'envoyais des textos et des emails, je laissais ma vague attention se poser sur des sites internet. La nuit, je transpirais et je délirais.

La guérison viendrait du travail. Écrire est une victoire sur l'entropie. Enfin, peut-être pas une victoire, mais en tout cas une discussion. Une négociation. Négocier avec un phénomène physique qui régit la marche de l'Univers n'est pas la chose la plus simple au monde, mais je n'ai pas trouvé d'autre manière de vivre.

Sur les murs de notre maison, Coline et moi affichons des citations, des extraits de romans, des emails d'amis, et des phrases trouvées dans des magazines et des livres de philo. Toutes ces choses que nous voulons ne pas oublier (« Ne jamais réfléchir à des choses graves le soir », « Le découragement est une étape du processus créatif »). Au-dessus de mon ordinateur, j'ai scotché une feuille sur laquelle sont écrits ces mots à l'encre rouge : « Bats-toi ! » Souligné trois fois dans des couleurs différentes.

Alors, malgré mon gros rhume, j'ai appelé le secrétariat de Sanaa Okaria pour annoncer mon arrivée à Paris (contaminer une productrice ne me pose pas de problème). Rendez-vous fut fixé. J'ai décidé de rester quelques jours, le temps de me débarrasser de mes microbes. Je rejoindrais Coline et Cyrus ensuite.

J'ai mis quatre chemises, des sous-vêtements et ma brosse à dents dans mon sac à dos. J'ai pris la pochette en nylon noir qui contient tous nos remèdes naturels : huiles essentielles, extrait de pépins de pamplemousse, échinacée, la pharmacopée magique de la nouvelle génération d'hypocondriaques. J'y ai ajouté les indispensables vitamines B12, D3 végétale et DHA/EPA issues d'algues. Un taxi m'a déposé à la gare.

Le train vient de s'arrêter. Les voyageurs commencent leur ballet vers les portes. Je n'ai pas envie de quitter mon siège. J'ai mal au crâne, je tremble, j'ai les oreilles bouchées, le front en sueur. Je suis épuisé. J'aurais mieux fait de rester à la maison.

Sortir de la gare du Nord est laborieux. Le métro me donne l'impression d'être prisonnier dans l'estomac d'un monstre. Je suis pris dans une avalanche de couleurs et d'odeurs, les visages se succèdent comme dans un photomaton détraqué. Je ne peux pas m'empêcher de penser aux attentats de novembre, je frissonne, je suis ému.

Prendre le bus me délasse, je retrouve des paysages familiers. Je descends à l'angle de la rue de Ménilmontant et du boulevard de Belleville. Il est 18 heures. En dépit du ciel bleu d'avril, c'est un temps à pull et à écharpe de coton.

Première étape : me poser chez Joachim, l'ami qui me prête son appartement.

Joachim ouvre la porte, décoiffé, ses grosses lunettes sur le bout du nez, en jean noir et en chemise orange. Immédiatement, il commence à parler de sa voix aiguë et rapide :

– Il faut que tu le saches, Martin, cette productrice essaye de tuer l'écrivain en toi. Elle volera tes meilleures idées pour les travestir dans des films moyens.

Joachim, égal à lui-même : plein d'énergie et de paranoïa. Je l'ai mis au courant de la proposition de Sanaa Okaria, depuis, il tente par tous les moyens de me convaincre de refuser pour ne pas mettre en danger mon travail littéraire.

– Ce n'est l'affaire que de quelques mois. Elle a l'air très bien. Et puis j'ai besoin de cet argent.

– C'est un piège.

– Une chaudière qui ne fonctionne pas est aussi un piège.

La chaudière de notre maison vient de tomber en panne, la réparatrice nous a laissé un devis effroyable. Le toit fuit aussi, un seau en plein milieu du salon récolte les eaux de pluie. Nous avons les moyens de faire nos courses, d'acheter des vêtements à Cyrus et de payer nos factures habituelles, mais impossible de financer ces travaux. Et, à vrai dire, je suis assez curieux de travailler sur un film. C'est une expérience nouvelle et je ne compte pas la laisser passer. Mon arrivée à Paris a dissipé ma circonspection et mes craintes.

– Tu dois répliquer, me dit Joachim.

– Répliquer à quoi ?

– Mets-toi en colère, Martin. La colère est un attribut divin. Les hommes ont besoin d'attributs divins, sinon leurs congénères les méprisent. Lancer des éclairs, séparer des océans, faire tomber des pluies de sauterelles.

– Pourquoi est-ce que je me mettrais en colère ? Je vais travailler sur un scénario, je ne vais pas cesser d'être écrivain. Au contraire, ce sera une expérience enrichissante. C'est la vie. L'altérité.

– Ils vont te dévorer. La colère doit être ton mode de relation à ces gens-là. Ils ne comprennent que les rapports de force.

– Je n'ai pas d'énergie à dépenser pour ça.

Depuis des années, Joachim cherche à m'enseigner

les vertus de l'emportement. Je suis un bien mauvais élève. Je déteste le conflit. Mais j'aime les dramatisations de Joachim, ce sont comme des enluminures. Elles ajoutent une fantaisie politique au quotidien. Et puis entendre quelqu'un exprimer des opinions hétérodoxes à la fois violentes et empathiques (l'équation géniale dont la formule n'est connue que de quelques-uns) est un bonheur trop rare.

Joachim se penche pour me faire la bise, je recule en lui expliquant que je suis malade. Il met sa main devant mon visage. Son train part dans deux heures (il rejoint Farah, sa femme, et leurs trois enfants dans une maison de famille de la côte guérandaise) et sa valise n'est pas prête.

Joachim est un de mes meilleurs amis. Il est sculpteur. Ses œuvres sont exposées en France et à l'étranger, il n'est pas très connu, mais il peut compter sur le soutien d'une poignée de critiques et d'amateurs. Joachim est doué. Il y a peu de choses qu'il ne sait pas faire, et peu de choses sur lesquelles il n'a pas un avis (qu'il exprime d'une manière qui suscite une cascade de malentendus). Son énergie est comparable à celle du réacteur d'une petite centrale nucléaire. Chaque fois que nous discutons, il arrive à m'étonner. Lors de notre dernière conversation, il m'a décrit en détail sa récente découverte des plaisirs prostatiques grâce aux talents digitaux de Farah et à quelques sex-toys.

Je remarque qu'il a une nouvelle prothèse à son bras droit. Un connard de chauffard a percuté la voiture de ses parents quand il avait 6 ans. Son bras a été déchiqueté. Depuis que je le connais, il a déjà eu quatre prothèses, et elles sont de plus en plus efficaces.

Mon séjour parisien tombe bien : des cambriolages ont eu lieu dans l'immeuble, Joachim est rassuré de savoir que je vais veiller sur sa sculpture.

L'appartement s'étire sur trois pièces, une cuisine et une salle de bains. Pour une famille de cinq personnes, c'est petit. Une grande porte-fenêtre donne sur un balcon encombré de blocs de terre sous une bâche. Il y a des tableaux et des sculptures partout. C'est un vrai petit musée.

Un caisson, sorte de cercueil métallique, trône au milieu du salon. La dernière œuvre de Joachim. Il me donne son titre :

– *Machine à remonter le temps.*

– Très intrigant.

Ça ressemble à une de ces cabines dans lesquelles les gens se font bronzer. Un genre de toasteur de deux mètres de long et d'un mètre de large.

Joachim disparaît dans la chambre. Il revient les

bras chargés d'une pile de vêtements qu'il jette dans sa valise sans les plier.

– Ça fait des années que j'y pense. La science nous promet des voyages dans le temps depuis des décennies, mais rien ne vient. C'est à l'art de reprendre les choses en main.

– Elle marche ?

– Est-ce qu'un Picasso marche ? C'est une œuvre d'art.

– Au moins, elle ne tombera jamais en panne.

– Exactement. L'art est le dernier bastion qui résiste à la tragédie organisée de l'obsolescence programmée.

Pour renforcer l'apparence scientifique et technique de son œuvre, Joachim a soudé des boutons et des circuits électroniques. C'est grotesque et beau.

La sculpture sera exposée à Bâle en juin. Joachim ferme sa valise, remplit son thermos de maté, m'embrasse (en dépit de mon rhume), et il file.

J'ai rendez-vous avec Sanaa Okaria demain matin à 9 heures. Je n'ai plus aucune envie d'y aller. Je suis fiévreux, stressé, fébrile. J'ai besoin de me reposer et de me calmer. Je m'installe sur le balcon avec un grand verre d'un mélange échinacée, mélasse, vinaigre de cidre. La meilleure chose à faire à Paris un lundi de printemps est d'assister au spectacle de la vie des Parisiens. La fenêtre du salon de l'appartement de Joachim donne sur la rue. Le spectacle est permanent, les scènes sont les cafés, les trottoirs, le McDo, la bouche de métro, les restaurants.

Ma boisson est forte. Le liquide me brûle la gorge et me réchauffe. Mes narines se débouchent.

Revenir à Paris quand on vit dans un village, c'est comme se rendre aux chutes du Niagara après avoir passé des années au bord d'un lac. C'est toujours de l'eau, mais la force et la vitesse vous explosent au visage.

On comprend qu'on peut être emporté par le courant et broyé sur les rochers.

J'ouvre le frigo. Parmi la population de compotes et de pots de mini gâteaux de semoule au lait de riz, un post-it sur un plat recouvert de cellophane attire mon attention : « Moussaka végé ! Régale-toi. » Joachim est un excellent cuisinier. Comme il vit mal de la vente de ses sculptures, il donne des cours du soir dans une école de cuisine pour les cadres supérieurs qui cherchent à s'encanailler aux fourneaux.

Je mets le plat dans le four et je retourne sur le balcon finir mon verre. Le liquide est tiède et trop sucré. La mélasse donne une teinte pétrole à ma boisson.

En bas, un sans-abri se poste près du radiateur extérieur de la terrasse d'une brasserie. Il n'a pas 20 ans. Son visage est maigre, il a des poches sous les yeux. Le serveur hésite un instant et décide de ne pas le chasser.

Je rôde dans l'appartement. Vivre quelques jours chez un ami, c'est l'occasion d'une expérience exotique. On découvre sa bibliothèque, le contenu de son garde-manger. Je suis dans un autre pays, un pays construit par Joachim, sa femme et leurs enfants depuis des années, avec des strates et des strates de trésors. Je vois de la géologie partout.

L'œuvre de Joachim est très belle. Je passe ma main

dessus. L'inox poli et lisse rappelle le fuselage d'un avion de chasse.

Le minuteur du four sonne. Je transfère la moussaka dans une assiette creuse. Je pose mon repas sur la table basse du salon. Les parfums mêlés des aubergines et de l'huile d'olive aiguisent ma faim. C'est trop chaud. J'en profite pour consulter mes emails sur mon ordinateur portable (ces temps-ci j'ai suspendu mon compte facebook, donc je bénéficie d'une certaine tranquillité numérique, je suis comme en vacances, ça ne durera pas, il y a des amis que je ne croise que sur ce réseau social et ils vont finir par me manquer). Coline m'a envoyé un message avec des photos de Cyrus et de la séance d'enregistrement (les murs du studio sont recouverts de moquette orange). Je lui réponds un email amoureux. J'ai envie de les rejoindre, elle et Cyrus (< 3). Qu'est-ce que je fais ici ? Est-ce que j'ai vraiment besoin d'écrire l'adaptation d'un de mes romans ? La seule chose raisonnable serait de prendre le premier vol pour Göteborg.

Je me sens mélancolique.

Je me lève et je tire la poignée sur le côté de l'œuvre de Joachim. La machine s'ouvre. À l'intérieur, une banquette en tissu rouge s'étend tout du long.

Je suis comme aimanté : je veux m'y coucher.

Mais ce n'est pas un canapé sophistiqué. C'est une œuvre d'art. *Machine à remonter le temps.*

L'œuvre de Joachim a l'air solide. Prendrait-il mal que je m'y allonge ? Il ne me l'a pas interdit. Je caresse le métal froid et brillant. Il semble précieux. Je pense aux sarcophages des pharaons de l'Égypte antique.

J'enlève mes chaussures et je me glisse sur la banquette. Le couvercle se referme et l'espace d'un instant je pense que je suis prisonnier. Je frappe la paroi de la main droite. Une diode rose s'allume au-dessus de mon ventre. Grâce à cette veilleuse, je vois distinctement l'habitacle. Je me calme. Je tourne la tête et je remarque un clapet sur le côté. Je le pousse. La machine s'ouvre. Tout va bien, je ne risque rien.

J'ai l'impression d'être dans un cocon. C'est confortable. Je suis bien.

Je m'endors.

La douceur de l'air se mêle de piquant. Les feuilles rousses des arbres empiètent sur le ciel crémeux. Je cligne des yeux et je baisse la tête.

Un garçon est assis sur un banc devant un bâtiment de pierre. Je ne vois pas son visage, mais sa posture m'est familière. Le vent pousse des feuilles mortes à ses pieds. Un fort parfum d'orange monte à mon nez. Je m'approche. Le garçon se tient à dix mètres en face de moi. Il porte un pantalon de velours couleur moutarde et un pull vert sombre. Il ouvre son sac à dos usé gris et en sort un cahier à couverture plastique rouge. Il fronce les sourcils. L'envol d'une mésange charbonnière lui fait relever la tête.

Je vois son visage.

Il ressemble au jeune adolescent que j'étais.

Rectification. Il ne me ressemble pas : *c'est moi.*

Ma respiration se bloque. Ma vue se brouille. Mes

lèvres et mes doigts se mettent à trembler. C'est moi.

Je dois avoir 12 ans.

Qu'est-ce que je fais là ?

Je dis :

– Bonjour.

Il lève les yeux vers moi. Des yeux vairons (vert clair et vert foncé mélangé de noisette), sérieux et tristes à la fois, interrogateurs.

Je me réveille en sursaut dans la machine de Joachim.

Impossible de me rendormir. Il est 5 heures du matin. Le visage, mon visage, ou plutôt le visage de celui que j'étais il y a vingt-neuf ans, prend toute la place dans mon esprit.

Je sors de la machine de Joachim.

La lune révèle la saleté des vitres. La moussaka s'est figée dans l'assiette creuse. Je n'ai pas faim. Je me sers un verre d'eau et je me laisse tomber dans le canapé-lit.

Que se serait-il passé s'*il* m'avait répondu ? Qu'est-ce que ce jeune-moi aurait pu me dire ?

C'est ridicule. Quel rêve idiot. Sans doute une conséquence de ma fièvre.

Je me poste à la fenêtre.

Il y a un plaisir à se savoir réveillé alors que la ville dort. Quelque chose d'enfantin. On est hors du temps. Le téléphone ne vibre pas, rien ne se passe sur internet. On échappe au réel. On est seul et on règne sur le monde. Je ne connais pas de moment de liberté plus pur.

Le rendez-vous avec Sanaa Okaria est dans quatre heures. J'ouvre mon sac à dos et j'installe mes affaires autour du canapé-lit. Joachim a laissé des draps sur l'accoudoir. Je vais me doucher. En repensant au rêve, j'éclate de rire.

Une fois séché et habillé, je sors. Je m'installe à la terrasse du bistrot en bas de chez Joachim. Je commande un grand café, un jus de pamplemousse, du pain et de la confiture. C'est une des choses qui me manquent dans mon village belge : prendre un café en terrasse. Heureusement, Bruxelles est à dix minutes de train ou de voiture. Je reprends la lecture du livre sur Tchouang-tseu que j'ai acheté avant de partir. Je souligne ce passage : « Redresse ton corps, unifie ta vision et l'accord céleste viendra. Rentre ton intelligence, unifie ta tenue et l'activité merveilleuse viendra se loger en toi. »

8 heures : je règle l'addition et je me mets en route pour mon rendez-vous. J'ai soixante minutes pour arriver à l'immeuble de Spectrorama Productions, pas besoin de me presser et de prendre le métro. J'ai toujours trouvé qu'il y avait quelque chose d'un enterrement collectif dans ce moyen de transport. Le

peuple de Paris s'enfonce dans sa sépulture. Je préfère le bus : la ville surgit à travers les vitres comme sur un écran de cinéma. Mais aujourd'hui je vais faire le trajet à pied. J'ai besoin d'air, j'ai besoin que l'air de Paris me nettoie de mes angoisses. Évidemment, l'air est si pollué que je suis obligé de ralentir mon pas si je ne veux pas avoir une crise d'asthme. Je serre ma Ventoline dans la poche gauche de ma veste.

Les bureaux de Spectrorama se trouvent boulevard Haussmann. C'est un choix étonnant quand on connaît la personnalité de Sanaa Okaria. J'ai vu une interview où elle expliquait les raisons de ce choix.

« Vous produisez essentiellement des films hors norme, alors pourquoi avoir installé le siège de Spectrorama dans un quartier si conventionnel ? » a demandé la journaliste.

Sanaa Okaria a répondu :

« Parce que si on vient de nulle part et qu'on a l'ambition de faire des coups d'éclat, alors il faut suivre les coutumes. Il y a les règles écrites, on peut voir ça sur toutes les écoles : "Liberté, égalité, fraternité." C'est avant tout une manière de se donner bonne conscience, bien sûr. Et il y a les lois non écrites. Ce sont les seules valables, celles auxquelles il est dangereux de désobéir.

J'arrivais de Syrie, je ne connaissais personne et j'avais une ambition folle. Je savais que je risquais d'être en marge. On ne me ferait pas de cadeaux. Ma ruse a consisté à m'installer parmi les banques, les sièges sociaux, les ministères et les musées. Pour ne pas être dévoré, il faut faire son nid dans le ventre de la bête. »

Elle a attendu un instant, et d'une voix pleine de malice elle a ajouté :

« Et puis j'adore ce Paris chic. Travailler ici, c'est comme vivre dans un conte de fées. Il y a un grand plaisir à réaliser ses rêves de petite fille immigrée. »

La marche me réchauffe. Les commerces ouvrent, les livreurs déchargent leurs camionnettes, les travailleurs se pressent sur le trottoir, les écoliers rient fort ou récitent leurs leçons dans leur tête, mains serrées sur les bretelles de leurs sacs à dos. Avril est le mois qui nous fait sentir que tout est possible. Sortir de l'hiver donne la sensation d'avoir échappé à la mort. On est vivant et le monde avec nous.

Je n'ai pas relu le livre que Sanaa veut adapter. Je me souviens de l'essentiel. *Le Condamné clandestin* est un roman sur l'autarcie : un homme s'enferme dans son appartement comme dans une cellule de prison. Il s'est jugé et condamné lui-même pour le simple fait d'être humain. Les chapitres décrivent sa vie intérieure, ses pensées, et les relations qui peu à peu se nouent avec ses voisins, les discussions à la fenêtre, ou l'oreille collée à un mur ou à la porte, les lettres échangées. La vie finit toujours par trouver son chemin.

Je me demande pourquoi cette productrice a choisi ce livre. Être désiré n'est pas simple. Il ne faut pas se faire d'illusions : ce n'est jamais nous qui sommes désiré, c'est ce que l'autre imagine de nous et, souvent, ce qui pourra lui servir à justifier ses propres choix existentiels.

Sanaa Okaria m'attend dans le café en face de l'imposant bâtiment noir de Spectrorama. Un couple petit-déjeune et s'embrasse, deux étudiantes lisent leurs cours. Sanaa Okaria annote un scénario, critérium argenté en main. Je m'approche, elle lève les yeux. Nous nous saluons.

– Comment allez-vous ?

– J'ai une sorte de rhume.

Je pose un petit spray d'eau de mer hypertonique sur la table. Le serveur arrive. Sanaa Okaria commande un grand crème, moi un café. Elle me demande de l'appeler par son prénom. Elle veut casser toute hiérarchie entre nous. Les différences de statut social, ça ne fait pas partie de sa culture.

– Ce film sera important pour Spectrorama. Ça risque d'être épuisant, je vous préviens.

Sa voix est claire et pleine. Elle parle comme si elle ouvrait une route avec un chasse-neige. Je lui réponds :

– Le travail est mon antibiotique. Mais je dois vous avouer que je n'ai jamais écrit de scénario.

– Ne vous en faites pas. Ce qui compte, c'est votre désir de travailler sur ce film. Vous apprendrez.

Le serveur pose nos consommations devant nous. Sanaa Okaria sort mon roman de son sac.

– Ce livre m'a surprise.

Ça ne sonne pas comme un compliment.

– Je trouve que *Le Condamné clandestin* est un grand livre.

– Merci.

Finalement c'est un compliment.

– Il est passionnant parce qu'il est un magnifique symptôme.

Je comprends que ça va mal se passer.

– C'est le diagnostic de votre névrose. Il est tissé d'un mélange de plainte et d'agressivité. Vous avez des idées originales, mais ces idées ne peuvent pas toucher le lecteur, car il se sent mis en accusation à chaque page. C'est un roman misanthrope, amer et senten-cieux. Je vous préviens : je n'ai pas envie de faire un film plaintif, culpabilisant et dont la seule personne qui s'en sort honorablement est un personnage secondaire qui représente la voix du scénariste.

Je m'attendais à pas mal de choses concernant ce rendez-vous, mais pas à recevoir un coup de poing en plein visage. C'est troublant : elle ne dit que des choses horribles, mais sa voix exprime chaleur et bienveillance.

Sanaa Okaria poursuit :

– Quand on vous lit, on a l'impression que vous cherchez à fonder une religion dans le seul but de pouvoir vous en prendre à vos fidèles et de leur reprocher une adoration que vous quémandez. Je ne dis pas que vous avez tort dans vos analyses, nous sommes d'accord : le monde est atroce et les êtres humains sont pathétiques et monstrueux. Mais cette lucidité est pleine de raisons cachées que vous n'analysez pas. J'aurais préféré que vous soyez violent, très directement violent. Et surtout violent avec vous-même. Vous vous en sortez trop bien. Vous êtes le seul innocent dans un monde corrompu et c'est très irritant.

Elle appelle le serveur et demande un verre d'eau. Elle continue :

– En fait, on ne peut aimer votre livre que si on va mal. L'apprécier devrait être inscrit dans la liste des symptômes de la dépression.

J'agite une serviette pour stopper les hostilités. La bouche sèche, je dis :

– Je ne comprends pas : vous êtes sûre de vouloir adapter mon roman ?

– Bien sûr. Votre mauvaise foi est précieuse. Elle est puissante.

– Merci beaucoup. Ça me touche.

– Et puis vous êtes pauvre, et ça vous donne une énergie spéciale. J'aime les artistes pauvres, ils ont accès à des ressources intimes qui font défaut aux artistes installés dans leur confort.

J'ai bien envie de répliquer à cette idéalisation de la précarité. Mais je ne vais pas suivre le conseil de Joachim. Se fâcher ne mène à rien. On ne convainc jamais personne. Si je n'étais pas si épuisé et malade, je me lèverais et je partirais. Sanaa poursuit :

– Votre talent est polymorphe et il est mal utilisé. C'est comme si vous passiez votre temps à inventer de nouvelles raisons pour les gens de vous détester. Comme un fou qui trouverait chaque jour une nouvelle façon de se fracasser le crâne contre le mur de sa chambre. Je vois une profonde imagination dans votre manière d'organiser votre rejet. Et ça m'émeut.

J'essaye d'articuler une réplique mais rien ne vient. J'ouvre la bouche et je la referme.

On pense être désiré, on pense être estimé. Et on s'aperçoit que ce sont nos problèmes et nos névroses qui séduisent. J'ai envie de m'évanouir. La productrice a une lecture discutable de mon roman. J'ai l'habitude. Le malentendu est la règle. Sanaa Okaria ne parle pas de moi, ni de mon livre, mais des échos qu'il crée dans sa propre vie. Je sais que je ne dois pas prendre ça personnellement, mais la violence de ses mots m'affecte. La tête me tourne, mes oreilles sifflent. Ma fièvre semble reprendre des forces.

Sanaa me donne rendez-vous pour le lendemain dans son bureau de Spectrorama. Nous signerons le contrat. Elle laisse un billet sur la table et quitte le café.

Le serveur vient débarrasser nos tasses.

Je suis comme sur un ring. Sonné, amoché, humilié.

C'est le pire rendez-vous professionnel de ma carrière et pourtant il s'est bien passé : je vais écrire un scénario. Je ne sais pas comment écrire un scénario mais ça ne semble pas gêner Sanaa Okaria. D'ailleurs, elle n'aime pas mon roman (ce point n'est pas très clair). Je suis terrifié et en même temps excité par cette nouvelle aventure.

Les propos de la productrice sont délirants, mais elle a appuyé là où ça fait mal : mon incapacité à établir des rapports avec les autres.

Sanaa Okaria m'a dit des choses violentes et elle en a fait des compliments. C'est une sorte d'exploit. C'est aussi sans nul doute le signe d'une personnalité perverse et destructrice. On n'arrive pas à son niveau de pouvoir et de responsabilité sans développer une sorte de sociopathie parfaitement en phase avec les attentes de la société. Je dois me méfier d'elle.

La question maintenant est : comment adapter mon roman ? Par où commencer ? Un jour, une amie m'a dit : « Quelle que soit ta question, tu trouveras la réponse dans un musée. »

Je marche en direction de la Seine. La ville dans laquelle j'ai vécu dix ans durant se déplie sous mes pas. Je suis en terrain familier. Plus j'approche du Louvre, plus la densité humaine sur le trottoir s'élève. Très vite, la foule m'entraîne comme une vague.

Pour éviter de payer l'entrée, je montre ma fausse carte de professeur de l'école des beaux-arts de Cergy.

Je passe le reste de la journée à me promener dans les allées, bloc-notes en main. L'idée de transformer mon roman en autre chose me plaît. Une adaptation n'est pas une déclinaison sur un autre support, c'est une réinvention, la promesse d'une autre œuvre.

J'aime le Louvre parce que ça ressemble aux Nations unies : le monde entier s'y retrouve, on entend des conversations dans toutes les langues, on fait le tour de la planète. Le public et les œuvres échangent des atomes, des ions, des photons, des pensées.

J'aime le Louvre aussi parce qu'on peut entrer en conversation avec des êtres qui ne risquent pas de vous trahir, de se moquer de vous ou de vous prélever des intérêts à cause de quelques euros de découvert. Les animaux, les femmes, les hommes sont là, faits de pigments et de marbre, ils resplendissent et ils sont bienveillants.

Il est 18 heures, les colombes qui passent la journée sur le toit de l'aile sud du Louvre s'envolent. Je n'ai rien écrit dans mon carnet. J'ai dessiné les contours de quelques œuvres, de visiteurs, de panneaux de signalisation.

Je rentre en bus parmi les étudiants et les travailleurs.

Je suis heureux, j'ai du travail. J'ai du travail. Savoir qu'on ne va pas mourir de faim est une sensation exaltante. Ce n'est pas loin de la décharge d'endorphines provoquée par un coup de foudre. Six mois plus tôt, un journaliste m'a posé une question en fin d'interview :

« Qu'est-ce qui vous excite dans la vie ?

– Savoir que je vais pouvoir payer mon loyer. »

Il a fait la grimace. Il n'a pas trouvé ça glamour.

Fuck le glamour.

L'appartement de Joachim commence à devenir confortable. Mes phéromones se déposent partout et rendent le lieu familier. Ma main a appris la hauteur de la poignée de la porte du frigo. D'instinct je sais où sont les interrupteurs. Les objets et la décoration se sont fixés sur ma rétine.

Sanaa m'a donné rendez-vous à 9 heures demain matin.

Je descends acheter des *kimbap* au concombre chez le traiteur coréen. Coline m'a envoyé un long email avec un fichier audio de l'enregistrement d'une chanson. Superbe. On dirait un mélange de Brel et de Mississippi John Hurt : un minimalisme lyrique. La musique tempère la voix de la chanteuse. Coline a aussi joint une vidéo de Cyrus s'essayant à parler. Je lui raconte ma rencontre difficile avec Sanaa.

Je regrette de ne pas avoir pris ma guitare. C'est

une camarade sur laquelle je peux compter quand je suis seul. Joachim et sa femme ont une passion pour les instruments à vent. J'essaye leur trompette et leur trombone, mais ça ne donne rien, je produis des sons d'éléphant enrhumé. Je tombe sur un carton contenant les anciennes prothèses de Joachim, trois bras articulés, un très rudimentaire, les deux autres plus complexes.

Je regarde les horaires des prochains vols pour Göteborg. C'est tentant. Je referme l'ordinateur en soupirant.

Les kimbap luisent dans leur barquette en bambou, leurs lignes de riz bien définies leur donnent l'aspect de petites sculptures nacrées. Les algues dégagent une odeur iodée. Je prends les baguettes et je les mange à la chaîne.

La fatigue s'abat sur moi. Je déplie le canapé-lit du salon.

Je trouve mon roman dans la bibliothèque de Joachim. La couverture (avec un dessin de Saul Steinberg) est cornée. Je le remets à sa place. Je n'ai pas envie de m'y replonger. Ce soir, je m'accorde une dernière soirée de repos avant le début de l'écriture du scénario. Bien sûr, tôt ou tard, j'ouvrirai mon livre pour retrouver l'intrigue précise. J'aurai besoin de matière pour construire une forme qui sera ensuite dévorée par le ou la metteur en scène. Revenir vers cette histoire vieille de plusieurs années n'est pas un retour en arrière : je n'ai pas tellement changé. C'est le menu du jour, et je suis doué pour me passionner pour ce qui se trouve devant moi.

En posant mon regard sur l'œuvre de Joachim, je frissonne. Le rêve de la nuit précédente me trouble encore.

Je vais dans la cuisine pour faire chauffer de l'eau. Je mets trois gouttes d'huile essentielle de niaouli, une cuillerée à soupe de vinaigre de cidre et du sirop d'agave dans une tasse. L'eau frémissante exhale les parfums. Je retourne dans le salon. Je m'assois sur le canapé-lit déplié face à la machine. Les mots de Sanaa, l'absence de Coline et de Cyrus et la perspective de devoir écrire un scénario se conjuguent pour faire monter l'angoisse en moi.

Je me suis senti protégé dans cette œuvre d'art. À l'abri.

Je m'allonge à nouveau sur la banquette rouge.

Je suis dans un parc. Devant moi, des enfants courent, des adolescents jouent au foot, des familles se promènent. Les bruits, les cris, les conversations se mêlent au piaillement des oiseaux. Les feuilles sur les arbres sont brunes, rouges, jaunes. Je connais cet endroit.

C'est le parc de Morsang-sur-Orge, banlieue sud de Paris, un des paysages de ma jeunesse.

C'est troublant : comme la fois précédente, j'ai conscience de rêver. C'est inhabituel. Et à nouveau c'est l'automne et je sens une odeur d'orange.

Je pose ma main droite sur mon cou à la recherche de mes pulsations cardiaques. Mon cœur bat. Je suis vivant. Je suis sensible à la température et aux sons. Mais est-ce que je peux avoir une influence sur le monde du rêve ? Je me baisse et je passe ma main dans l'herbe fraîche, encore pleine de rosée. Ma main fait bouger les brins d'herbe. Je prends un caillou enfoncé dans la terre. Je peux donc imprimer ma présence sur ce monde. Je dois faire attention. Est-ce qu'on peut me voir ? J'aperçois mon double, âgé d'une douzaine d'années, lisant sur un banc. Il porte un jean gris et une chemise à carreaux trop grande. Le fixer du regard est oppressant. Mes yeux piquent. J'ai la tête qui tourne. Revoir des vêtements que j'ai portés, revoir l'environnement qui a été le mien des années durant me donne une sensation de familiarité et d'étrangeté à la fois.

Je dois me calmer.

Je m'approche de lui. Je me sens timide, mais le rêve peut finir à tout moment, je n'ai pas un instant à perdre. Ma mâchoire tremble. Je dis :

– On se connaît.

Il lève la tête et fronce les sourcils. Je distingue mal ses yeux derrière ses grosses lunettes de métal.

– Je n'ai pas une très bonne mémoire des gens, désolé.

Sa voix est fluette, encore enfantine. Mais il a déjà ma manière de parler non linéaire en accentuant certains mots comme s'il avait un accent étranger. Je me demande s'il se souvient de notre première rencontre. Et si vingt-quatre heures se sont aussi écoulées pour lui.

– Je vais te dire quelque chose. Ne panique pas.

Il me regarde, l'air de dire : Rien n'est en mesure de perturber ma morne existence.

– Je suis toi. Ou tu es moi. Je ne sais pas comment c'est possible. Mais je suis celui que tu seras dans vingt-neuf ans.

Je vois de la peur dans son regard. Il doit me prendre pour un fou. Je dis :

– Je peux te le prouver.

À 12 ans, j'étais un lecteur avide de science-fiction. Mon jeune-moi a l'esprit ouvert, il peut être sensible à cette situation.

Mais il se lève, il range son livre dans son sac et se dirige vers l'entrée du parc.

Je le suis.

– Je sais des choses sur toi que tu es le seul à connaître.

Il s'arrête et me fait face.

– Par exemple ?

Je baisse les yeux. Je n'arrive pas à le regarder. Le fixer m'est impossible.

– Tu évites de marcher sur les traits qui séparent les pavés au sol. Tu évites de marcher sur les plaques d'égout.

– Tout le monde fait ça.

– Pas vraiment.

– Ça ne veut rien dire.

Que puis-je trouver de réellement personnel ? Je fouille ma mémoire.

Je pointe du doigt l'enceinte du parc bordée de grands chênes.

– Si tu creuses au pied de cet arbre, tu trouveras une boîte en fer. Dans cette boîte, il y a une coquille de palourde, une pièce trouée, un dessin représentant le chanteur Renaud, et un poème.

Son visage rosit.

– Laissez-moi.

Je me réveille en sueur.

Les bureaux de Spectrorama occupent tout un immeuble de granit noir sur le boulevard Haussmann. Je lève les yeux. La façade s'étire vers le ciel et se termine en pointe. Toutes les fenêtres sont fermées. Je pousse la porte avec l'impression d'entrer dans une autre dimension. Le hall d'entrée est éclairé par des lumières tamisées, les murs marron clair velouté créent une atmosphère douce et raffinée.

L'homme derrière le comptoir d'accueil dit « Huitième étage » en m'indiquant un ascenseur.

À cet étage, il n'y a qu'une porte. Je frappe. Sanaa ouvre et referme ses deux mains sur ma main droite. La pièce est pleine de plantes aux larges feuilles vertes. Sur le bureau, des dossiers, des livres, des stylos forment des pyramides fragiles autour d'un ordinateur portable. Des affiches sur les murs rappellent les grands succès de Spectrorama. Une photo d'Irving Thalberg et une d'Ida Lupino sont encadrées côte à côte au-dessus de la porte. Sur la table entre le bureau et l'entrée on a disposé un pot de café fumant en porcelaine ivoire. Sanaa me tend une assiette de fruits confits. Je n'ai pas faim. Elle insiste. Je prends un abricot et je m'assois. Sanaa nous sert un café et me demande de mes nouvelles. Je parle de Coline et de Cyrus en Suède, de la chaudière cassée et du toit, du livre sur mon père. À son regard distrait, je comprends que ça ne l'intéresse pas. Je la sens impatiente de commencer la réunion.

Je dis :

– Qui va mettre le film en scène ?

Sanaa lève les sourcils.

– Moi.

C'est classique : un jour ou l'autre, certains producteurs veulent tenir la caméra.

Un homme en costume noir et cravate violette entre. Ses cheveux trop bien coiffés forment un casque. Il semble partagé entre solennité et affabilité, comme s'il retenait un sourire. Il tend une liasse de feuilles.

– Le contrat, dit Sanaa.

Je mange l'abricot et je prends les feuilles. Mon cœur s'accélère. On y est. Une nouvelle aventure commence. Sanaa glisse un chèque vers moi.

J'attends un instant pour bien lui signifier que l'argent

m'importe peu. Je pose mes yeux sur le chèque. Je n'ai aucune idée des standards de rémunération de l'industrie cinématographique. En tout cas, je pourrai changer la chaudière et faire réparer le toit. Quelques mois plus tôt, Coline a payé les derniers gros travaux. Ce chèque est une bonne nouvelle. Que Joachim aille se faire foutre.

– Ça me paraît honnête.

L'homme en costume se penche vers moi. Du doigt, il me montre les endroits à parapher.

Je signe. Je sais bien que j'aurais dû montrer ça à un agent.

Ce projet tombe bien, j'ai besoin de m'extraire de mon quotidien, de mes factures, de mes angoisses, de mes problèmes existentiels, du livre sur mon père. J'ai besoin de me laisser porter par le dessein de quelqu'un d'autre. J'en ai marre de moi, je suis fatigué d'être au centre de la création, de la porter sans cesse. Pour quelque temps, je serai à côté, décentré, accessoire, et c'est un soulagement.

Sanaa Okaria sort un carnet noir toilé.

– J'ai la vision d'un film d'action immobile. Quelque chose d'introspectif et de palpitant. J'ai pris des notes. Le personnage principal pourrait être une femme plutôt qu'un homme.

Pourquoi pas. À vrai dire, plus le scénario s'éloignera du livre original, plus je trouve ça intéressant. Sanaa se lève. Fin de la réunion. C'était rapide. Je me suis senti spectateur. Rendez-vous est pris demain pour la suite.

À nouveau, Sanaa me tend le plateau, insistant pour que je prenne un fruit confit. Je choisis une figue. Une fois sorti, je la jette dans la poubelle devant l'ascenseur.

Joachim et Farah ont deux grandes passions musicales : le rap français et la musique brésilienne. Ils ont des disques durs pleins de mp3 et des étages de vinyles. Au fil des années, ils m'ont fait découvrir le choro, la samba, le forró et Keny Arkana, leur rappeuse préférée. Ils ont une belle collection de jazz aussi, alors j'hésite. *For Losers*, d'Archie Shepp, est un de mes albums préférés. Il paraît approprié. Le titre bien sûr, le graphisme de la pochette, et la musique. Mais j'ai besoin d'autre chose. Cartola l'emporte avec son deuxième album, un enregistrement de 1976. Je mets le disque sur la platine et je m'assois dans le canapé-lit. La moussaka que j'ai oubliée le premier soir chauffe. Il est midi et j'ai faim.

Le four sonne. Je mets la moussaka dans un bol. Les deux rêves où je me suis rencontré m'obsèdent et m'intriguent. À vrai dire, ça commence à m'inquiéter.

49

Peut-être que je devrais aller voir un psy. Depuis la naissance de Cyrus, mes nuits sont plus courtes, mais je me sens plein d'une énergie nouvelle. Je suis peut-être en train de m'effondrer. Une tardive dépression post-partum.

Durant mes dix années à Paris, j'ai eu un psychanalyste, mais il a pris sa retraite en Équateur l'année dernière. Joachim parle du sien avec enthousiasme.

Quand un ami vous prête son appartement, il y a une chose que vous n'êtes pas censé faire : fouiller. Cependant, c'est un cas d'urgence. Je me dirige vers la table basse du téléphone. Quantité de blocs-notes et de calendriers y sont empilés. Je tombe sur un carnet d'adresses. Je cherche à la lettre P. « Psy » écrit à l'encre rouge.

Le secrétaire me dit qu'une place s'est libérée cet après-midi. Je note l'adresse. L'idée que j'ai un problème m'empêche de faire quoi que ce soit, je tourne en rond, je lis mes emails sans être capable d'y répondre, je prends un livre dans la bibliothèque et le repose dans la foulée.

Retourner voir un psy après quatre ans d'arrêt est émouvant et effrayant. Je me rappelle l'époque où je devais boire un verre de vin avant chaque rendez-vous.

Le psy de Joachim est installé dans un petit immeuble récent de la rue Jean-Pierre-Timbaud.

Après vingt minutes dans la salle d'attente, un homme m'invite à entrer dans le cabinet. Les présentations passées, il me dit :

– Déshabillez-vous.

Je suis surpris. C'est peut-être un psychanalyste qui s'inspire d'une méthode américaine genre cri primal. Je me mets en sous-vêtements. Je le préviens :

– Ça fait longtemps que je n'ai pas vu de psychanalyste.

Il prend un peu de recul et il relève ses lunettes sur son front.

– Vous êtes conscient que je ne suis pas un psychanalyste, n'est-ce pas ?

Je suis incapable de prononcer un mot. Dire que je me sens idiot est très éloigné de la réalité.

– Je suis ostéopathe.

Ça explique pourquoi il m'a demandé de me déshabiller. Sa main se pose sur le téléphone. Il doit me prendre pour un fou.

Je lui dis que j'ai trouvé ses coordonnées dans le carnet d'adresses de Joachim. Ça le rassure. Il comprend le malentendu. Joachim a promis à Farah d'aller voir quelqu'un à cause de ses crises d'angoisse. Mais un psy, c'était trop d'engagement, alors il a préféré prendre rendez-vous avec un ostéopathe. Depuis il entretient le mensonge.

– Vous voulez quand même qu'on fasse la séance ? Un ostéopathe est un genre de psychanalyste du corps, ça ne peut pas me faire de mal. Il me tâte à différents endroits, il palpe et masse.

Je me rhabille. Mes sinus sont débouchés, mon mal de tête a disparu. Je prends mon temps pour sortir mon carnet de chèques. Je suis venu pour parler, je vais parler, cet ostéopathe aura peut-être une idée ou un conseil à me donner. Ce n'est pas un psy, mais il est là, et parfois c'est suffisant : quelqu'un qui est là.

– Je suis inquiet.

Je lui expose mon problème, mes rêves.

– À votre avis, c'est grave ?

– Je ne suis pas psychiatre, ni neurologue. Je ne peux que vous donner mon avis personnel.

Il repose son dos contre sa chaise.

– Je pense que vous êtes en sécurité quand vous dormez. Vous ne risquez rien.

J'acquiesce :

– Il ne peut rien m'arriver de mal.

– C'est le seul lieu où on s'en sort toujours.

– C'est si fou de me retrouver face à moi-même. J'aimerais avoir des rêves raisonnables, parce que la vie réelle est déjà assez folle.

– Mais peut-être que vos rêves *sont* raisonnables, vous ne croyez pas ?

Il me serre la main. Je sors détendu et perdu.

Le congélateur de Joachim contient quantité de plats préparés. De petites étiquettes indiquent le nom de la préparation. Je choisis une ratatouille, la forme et la couleur des légumes découpés ont quelque chose de chaleureux. Cinq minutes au four, réglage grill. Je commence à manger, c'est encore glacé par endroits. Je n'ai qu'une hâte : me coucher dans la machine et retrouver mon double.

Quand on arrive à l'âge de 40 ans, une question se pose, en tout cas c'est une question que mes amis et moi nous nous posons après quelques verres de vin : comment a-t-on fait pour s'en sortir ? On a échappé au suicide, aux accidents et à la maladie. On se sent comme un rescapé. Et, dans le même temps, on comprend qu'il faut vivre, travailler et aimer comme jamais. On est un survivant en sursis, et il n'y aura jamais rien de mieux que cet état de fragilité, parce que le contraire de la fragilité ce n'est pas la force, c'est la mort. C'est tout à la fois déprimant et exaltant.

À cet âge, on sent aussi qu'il faut faire des choix. Se remettre au sport ou accepter son poids, par exemple. Tout compte. Tout est important désormais. Tout aura des conséquences.

Je regarde l'œuvre de Joachim. Quelle beauté.

Je vais m'aider. Je vais donner à mon jeune-moi des trucs et partager mon expérience. J'ai vécu ce qu'il va vivre. Je peux lui éviter les pièges les plus douloureux.

C'est une sorte de variation sur l'éternel retour du Zarathoustra de Nietzsche, mais je ne revis pas ma propre vie : j'assiste à la vie vécue par mon jeune-moi. Et je peux aider celui-ci à devenir plus heureux que moi. Peut-être même que ça aura des effets sur l'adulte que je suis.

La porte entrouverte de la machine semble m'inviter à y entrer. Je me glisse dedans, prêt à rêver.

Mais je suis dans un tel état d'excitation qu'il m'est impossible de dormir.

Le sommeil vient enfin vers 3 heures du matin, grâce à la lecture d'une encyclopédie consacrée au cheval empruntée à la bibliothèque du fils de Joachim.

Je me retrouve sur le parking d'un centre commercial. Toujours le même parfum d'orange, hallucination olfactive récurrente associée aux rencontres avec mon double. On appelle ça de la phantosmie. C'est le signe d'un problème neurologique ou, dans certaines cultures chamaniques, d'un événement magique qui ouvre une brèche dans la réalité ordinaire. Les feuilles automnales des arbres confirment l'endroit et le temps où je me trouve.

Je le repère tout de suite, installé à la terrasse d'un McDonald's. Il écrit dans un cahier en buvant un Fizzy Bubblech à la paille.

Il y avait deux lieux accueillants pour les jeunes dans ma petite ville de la banlieue sud de Paris : la bibliothèque et le McDonald's. Le McDo avait l'avantage de posséder une terrasse et de permettre les conversations à voix haute. Je me souviens de ces journées de vacances où je passais la matinée à la bibliothèque et l'après-midi au fast-food à siroter un soda. Je faisais durer la boisson des heures. À la fin je buvais l'eau des glaçons fondus.

Je me demande s'il se souvient de nos deux précédentes rencontres.

– Salut !

À son regard, je comprends qu'il se souvient de moi. J'imagine que lorsqu'une journée passe pour lui, une journée passe pour moi. Notre calendrier est synchrone.

Je lui dis :

– Tu n'as pas l'air d'avoir peur.

Il pose son gobelet en carton entre nous. Ses yeux reflètent candeur et prudence. Il semble à la fois curieux et sur ses gardes. Il me répond sur un ton de défi :

– J'ai peur des choses normales. Tout ce qui est bizarre me rassure.

Se trouver face à soi-même est vertigineux : ce garçon pense comme moi, même si vingt-neuf années nous séparent. C'est familier et incongru. Je m'assois.

Il ajoute :

– Il y a trois hypothèses : soit je rêve, soit je suis fou, soit la réalité est plus complexe que ce qu'on croit.

Il prend la paille entre ses lèvres et aspire un peu de son Fizzy Bubblech. Il continue :

– Donc rien de très effrayant. Ce n'est pas comme avoir une méningite.

Manifestement, j'ai déjà découvert les joies de l'hypocondrie.

– Je suis content que tu le prennes bien. Mais il faut ajouter une quatrième hypothèse : c'est peut-être moi qui rêve.

Son visage indique une grande concentration. Il réfléchit.

– Je serais un rêve que tu fais ? Non : j'ai conscience de moi.

Je lui dis :

– Remettons les choses à plat : *je* suis toi.

– Je crois plutôt que c'est *moi* qui suis toi.

Merde. À 12 ans j'ai déjà l'esprit de contradiction. Je sens que nos discussions ne vont pas être de tout repos. Il dit :

– Il y a de moi en toi. Alors qu'il n'y a rien de toi en moi. Tu es une déclinaison de moi.

S'il croit que je vais me laisser faire. Je réplique :

– Une amélioration, oui.

Il rit dans sa main. C'est un peu vexant.

– Je ne crois pas que vieillir améliore les choses. Il y a l'entropie.

À l'époque, je lisais déjà des livres de physique (à moins que ce ne soit l'influence de la science-fiction).

– Je lutte contre l'entropie.

Il aurait pu me regarder avec un sourire moqueur. Il y a de quoi. Mais il me considère avec sérieux.

– Et tu gagnes ?

– Je dirais que pour l'instant il y a match nul.

Nous sourions tous les deux. C'est un beau moment complice. Je comprends que je suis en train de devenir ami avec moi-même. C'est absurde et rassurant à la fois. Nous nous connaissons intimement, nous ne pouvons pas nous mentir. Ça évitera l'autocomplaisance. À vrai dire, ça m'inquiète aussi un peu : et si je décevais mon double ?

Il me dévisage.

– On ne se ressemble pas du tout, en fait.

À part nos lèvres et nos yeux ; et nous avons une même mélodie vocale.

– J'ai vingt-neuf ans de plus que toi, c'est normal. Le temps, les hormones, les soucis m'ont sculpté.

– Tu es un peu plus beau que moi.

Sa constatation sonne à la fois comme un reproche et comme un soulagement.

– Tu n'es pas laid. Je veux dire : ça va.

Conscient que ma phrase est maladroite, j'ajoute :

– Le temps patine les défauts. On s'améliore un peu en vieillissant.

Il croit que je me vante et se sent autorisé à me rappeler à la réalité :

– Tu as un grand nez. Grand et gros. C'est quand même déprimant de savoir que je vais me retrouver avec *ça*.

Quel coup bas. Il se venge.

– Ça a du charme. Certaines filles aiment bien.

Il me regarde d'un air navré.

– Si ça te rassure de le croire... Savoir qu'un truc comme ça va me pousser au milieu du visage, c'est effrayant. Et puis, tu perds tes cheveux.

Je passe ma main sur mon crâne.

– À peine. Vraiment à peine... Mais je ne suis pas ici pour parler de mon physique. Je veux t'aider. Te donner des conseils.

– Comme quoi ?

– Je ne sais pas encore.

– Merci d'avoir essayé.

Entre mon jeune-moi et moi, le silence s'installe. C'est un silence composé de gêne, d'attente, d'espoir. Je le trouve touchant quand il parle avec sérieux, rajustant sans cesse ses grandes lunettes qui glissent sur son nez.

Non. Je rectifie. Il n'est pas touchant. Ce n'est pas ça. Je ne devrais pas être surpris de me trouver volubile. En devenant adulte, on oublie combien les enfants et les adolescents sont profonds. En devenant adulte, on n'écoute plus, et quand on écoute, par mégarde, on le fait avec la condescendance amusée de celui qui croit avoir vécu. Mon jeune-moi est futé. Pas spécialement futé (j'ai bien conscience d'être de parti pris), mais comme tous les enfants de 12 ans.

– Je peux te poser une question ? me demande-t-il en remuant son gobelet en carton pour faire s'entre-choquer les glaçons.

– Bien sûr.

– Est-ce que ça s'arrange ? Est-ce que la vie devient plus simple et plus douce ?

Qu'est-ce que je peux répondre à ça ? Par flashes, tous les événements difficiles des vingt-neuf dernières années apparaissent dans mon esprit.

– Pas vraiment.

Il baisse la tête.

– Est-ce que je vais m'en sortir au collège et au lycée ?

J'inspire profondément.

– Je ne vais pas te mentir : ça va être des années de

catastrophe scolaire et d'échecs sentimentaux. Tu vas même redoubler. La bonne nouvelle, c'est que tu te feras des amis aussi bizarres et perdus que toi. Vous vous appellerez le Club des ratés.

Il éclate de rire. Retour de la candeur. Immédiatement après, son visage s'assombrit. Je ne lui donne pas de bonnes nouvelles de l'avenir.

– Je voudrais que tu sois heureux. Je vais t'aider.

– Ça semble mal parti.

Il n'a pas tort.

– Mais à qui tu parles ? dit un jeune homme à casquette des Bulls de Chicago qui passe près de nous avec son plateau.

Je comprends en un instant : il voit mon jeune-moi parler tout seul. Je suis invisible aux yeux des autres.

Quelqu'un fait tomber un plateau plein de boissons et de burgers.

Je me réveille.

Nous sommes dans le bureau de Sanaa. Deuxième réunion de travail. Sanaa paraît épuisée. Elle est mal coiffée. Son costume noir est froissé. Mais, même ainsi, elle reste élégante. En sa présence, je me sens comme un pouilleux. Mais je suis un pouilleux de 41 ans, ça ne m'embarrasse donc plus de me retrouver entouré de gens plus beaux, mieux habillés, plus à l'aise que moi.

Pendant l'enfance, faire partie du Club des ratés est une souffrance, puis peu à peu on se rend compte qu'on n'aimerait aucune autre compagnie, on n'aimerait surtout pas être adapté, surtout pas à la mode, surtout pas à l'aise. Je fais partie de la plèbe et, par esprit de contradiction, j'en suis fier. Sanaa est riche et élégante, mais je sais que son parcours a été difficile, je sais qu'elle a immigré clandestinement ici et qu'elle en a bavé. Je n'ai pas l'impression que nous soyons si différents (à part en ce qui concerne nos comptes bancaires). Je vois ce qui nous sépare, mais aussi ce qui nous rapproche et permet nos échanges. Elle ne m'impressionne pas. C'est un défaut social, je le sais. Le *scandalum magnatum*, la capacité à critiquer et à m'opposer à quelqu'un qui a un statut social plus élevé que moi, ne me pose pas de problème. Je ne crois pas aux statuts sociaux. Je vois bien qu'ils ont des effets réels, mais je ne peux pas les prendre au sérieux.

Sanaa a des choses à me dire sur le scénario.

– Cette femme s'emprisonne volontairement. C'est une belle idée. Mais je voudrais que vous lui inventiez un moyen de se libérer. De s'échapper.

Avec application, je prends note dans mon carnet.

J'aime ce bureau. C'est un endroit agréable où travailler. La présence de grandes plantes en pot n'y est pas pour rien. La forêt a été invitée. Je l'imagine se développant et gagnant des centimètres régulièrement (alors que le bureau ou la chaise ne croissent pas). Ne manquent que des animaux.

– Vous n'avez pas l'impression que je massacre votre œuvre ?

– Un contrat vous y autorise.

Et je n'ai pas l'énergie de m'y opposer. Mon livre existe, le film ne le fera pas disparaître, alors peu importe qu'il s'en éloigne. J'ai envoyé le chèque à ma banque ce matin. Je ne peux plus reculer. La perspective de radicalement transformer mon roman ne pèse rien par rapport au bonheur induit par le fait de savoir qu'on ne mourra pas de froid l'hiver prochain.

Sanaa masse ses tempes du bout des doigts.

– Pour être honnête, ça ne va pas, Martin.

Je pense : Elle va encore s'en prendre à moi. Mes muscles se tendent, je rentre ma tête dans mes épaules.

– J'ai quitté Étienne.

Ça doit être son compagnon. Manifestement, elle veut me parler de sa vie. C'est un des travers de la modernité : nous sommes tous désormais les psys les uns des autres. Des inconnus nous racontent leurs problèmes, nous demandent notre avis, notre expertise. Le monde est devenu un gigantesque cabinet de psychanalyse dans lequel se joue une séance perpétuelle.

Je dis :

– Désolé.

– Je ne sais pas quoi faire.

Elle attend un moment, comme si elle espérait une réponse de ma part. Elle soupire d'une manière enfantine et dit :

– Le problème est plus profond que la fin d'une histoire d'amour. La vérité, c'est que je voudrais être jeune à nouveau. Je suis dépassée par l'institution que

Spectrorama est devenue. Le danger pour l'art ce n'est pas la censure, c'est la respectabilité. Je veux changer de vie et je ne sais pas si c'est possible. Peut-être qu'il est trop tard. Vous connaissez ce poème de Neruda : « Il meurt lentement / celui qui ne change pas de cap / lorsqu'il est malheureux / au travail ou en amour, / celui qui ne prend pas de risques / pour réaliser ses rêves » ?

– C'est très beau.

– Je veux changer de vie et prendre des risques. On va arrêter le film.

Je sens le sang quitter mon visage. Non, ce n'est pas possible. Le chèque sera à la banque demain. J'ai envie de lui dire : « Mettre en scène un film, c'est une étape, c'est déjà une évolution, c'est un risque. » Mais ma réaction est plus terre à terre :

– J'ai encaissé le chèque. On a signé un contrat.

Sanaa réfléchit un instant.

– Oui, vous avez raison. Je vous ai engagé. Vous devez mériter votre salaire.

Elle baisse la tête et elle réfléchit en se mordant la lèvre inférieure.

– Vous pouvez m'aider à déménager.

Ma vie éveillée commence à devenir aussi folle que mes rêves. Je ris. Mes oreilles se débouchent.

– Non, je ne crois pas. Désolé. Non.

Sanaa reste calme. Elle est habituée aux rapports de force et aux discussions. Elle est habituée à gagner.

– Vous relirez votre contrat : si le film ne se fait pas, vous êtes à mon service. Vous avez une dette. Ne vous inquiétez pas, je ne vous demande que dix jours, j'ai quelques missions à vous confier. Après, nous serons quittes.

– Je ne suis pas déménageur.

– Vous n'êtes pas scénariste non plus. Et puis, vous pourrez mettre ça dans votre biographie. Les écrivains adorent raconter qu'ils ont fait des petits boulots pour survivre. Comme s'ils étaient les seuls... Ça participera à construire votre légende, qui, je dois le dire, en a bien besoin. Pour l'instant, vous n'êtes pas un très bon personnage.

Je suis dans un supermarché. La lumière blanche des néons m'éblouit, il y a des couleurs partout, des bruits de discussion, de la musique (« 3ᵉ sexe », par Indochine). Les gens font leurs courses et poussent leur chariot. Redécouvrir l'année 1987 est émouvant. Je me sens chez moi, j'aime ces couleurs vives, j'aime ces airs de modernité maladroite et kitsch, j'aime les coiffures aériennes des femmes et les coupes étranges des hommes, les vestes trop courtes ou trop larges. Retrouver son passé permet de prendre conscience que les adultes sont toujours des enfants : ils jouent sérieusement, ils prennent au sérieux leur look, leur style, leur monde, ils ne savent pas encore que tout ça sera moqué plus tard, caricaturé, que ça paraîtra daté. Le premier degré de ceux qui sont pleinement dans le temps présent, leur arrogance, a quelque chose d'attendrissant et de ridicule. Je ne l'oublierai plus.

Je me cherche des yeux. Mon jeune-moi est au rayon confiseries. Il a l'air d'analyser les paquets de bonbons. Je m'approche. En me voyant, il sourit. Son regard semble dire : Ah tu es là. Il parle le premier :

— Bonjour.

— Salut.

Le silence habituel s'installe entre nous.

Puis il dit :

— Je te cherche tout le temps.

— Et moi tous les soirs j'espère que je vais te voir.

C'est comme retrouver quelqu'un qu'on croyait mort. Ça donne le vertige. Il me demande comment j'explique ce phénomène de science-fiction. Je lui parle de la machine de Joachim. Il a l'air de trouver ça rationnel.

Il dit :

— Tu crois que ça va finir ? Qu'à un moment nous n'apparaîtrons plus l'un pour l'autre ?

— Je pense, oui.

Ça me serre le cœur. Je commence à m'habituer à me rencontrer. J'ai l'impression d'avoir trouvé un nouvel allié.

— Alors profitons-en, dit-il.

— Désolé de t'avoir dit des choses déprimantes sur l'avenir. On va essayer de trouver des solutions pour que ta vie soit mieux que celle que j'ai vécue.

Il me regarde d'un air sceptique.

– Super.

– Vois les choses comme ça : tu es Ulysse.

C'est la phrase d'introduction au discours motivant que j'ai élaboré avant de me glisser dans la machine de Joachim. Je veux être positif. Après tout, si j'ai réussi à survivre, ça tient à ma combativité.

– Ulysse ? Donc je dois m'attendre à ce qu'un cyclope géant cherche à me tuer ? À rencontrer une magicienne retorse, des tempêtes et des obstacles mortels ?

– C'est à peu près ça.

– Génial, dit-il en roulant des yeux et en soupirant.

Il retire ses lunettes et les essuie avec un coin de sa chemise.

– Ulysse gagne à la fin. Il rentre à Ithaque et retrouve Pénélope.

– Mais je ne veux pas gagner *à la fin*. Je ne veux pas vingt ans de guerre et de quête.

– Ça va être difficile d'y échapper.

– Il n'y a pas un raccourci ?

– Je n'en ai pas trouvé.

Nous marchons dans les allées du supermarché. La musique diffusée est pleine de boîtes à rythmes. Enfin, une chanson plus douce : « Luka », par Suzanne Vega.

– Tu es amoureux ? me demande-t-il.

– Oui.

– De quelqu'un qui t'aime ?

Ça lui semble étonnant. C'est vexant.

– Oui.

Ça le fait rougir. Il remonte le menton. Il est heureux. Le voir heureux me touche comme jamais. Il me regarde de haut en bas.

– D'une fille ?

Manifestement, j'ai des doutes quant à mon orientation sexuelle. Je ne m'en souviens pas. J'acquiesce. Je le rappelle aussitôt à la réalité :

– Ça va prendre du temps.

Je préfère ne pas lui dire l'âge de Coline en 1987 sinon il va flipper. Il dit :

– J'imagine qu'on ne nous remarque pas facilement. Même avec ton grand nez.

J'aime bien quand il me vanne. Ça renforce notre complicité.

– On a même un enfant.

– Sans blague ? Un enfant ?

– Depuis l'été dernier.

– Félicitations !

– Félicitations à toi aussi. Tu veux savoir si c'est un garçon ou une fille ?

Il réfléchit.

– Non. Laisse-moi la surprise. Et puis je ne veux pas le savoir avant ma copine. Ça ne serait pas très sympa.

Nous sommes émus. Jamais un supermarché ne m'a paru un lieu aussi beau. Mon jeune-moi est sur un nuage. Il a un sourire immense. Je suis heureux de lui avoir donné une bonne nouvelle.

Je dis :

– Eh ! Et si on s'amusait un peu ?

J'attrape une boîte de raviolis aux légumes et je la mets dans ma poche.

– Voler ?

– Exactement. Tu ne te rends pas compte, mais j'arrive d'une époque où il y a des alarmes, des caméras, des puces électroniques et des vigiles partout. Voler dans les années 80, c'est enfantin.

– Des puces électroniques ?

– Ça serait trop long à t'expliquer.

– On pourrait peut-être voler autre chose que des raviolis.

– Tu as raison.

Nous allons au rayon bonbons et nous faisons une razzia. Je lui explique pourquoi il est important de boycotter ceux qui contiennent de la gélatine animale. Nous camouflons des sachets dans nos manches et nos chaussettes. Marcher de manière naturelle ainsi lesté n'est pas simple. Nous passons par la sortie sans achats.

Au moment où nous franchissons les portes du super-marché, je me réveille.

Je tousse dans un mouchoir à l'eucalyptus. Mon rhume ne guérit pas et c'est une bonne nouvelle. Il se met entre moi et le monde. Il me protège.

L'appartement occupe le troisième étage d'un bel immeuble de Barbès. Sanaa ouvre la porte. C'est vaste et lumineux. Les grandes fenêtres sont encadrées de rideaux vert pâle. Une imposante pile de cartons pliés attend contre un mur.

Nous nous installons dans le salon. Sanaa pose un sachet en papier plein de croissants. Je ne vais pas y toucher. Elle nous verse du café.

Je regarde les tableaux au mur, le piano, les antiquités. Impossible de déménager ce lieu tout seul. C'est absurde.

Je n'ai pas informé Coline de mon nouveau travail. Comment est-ce que je peux lui annoncer ça ? Comment lui expliquer que je suis passé du statut de scénariste à celui de manutentionnaire ?

Mais je ne me plains pas, après tout je suis le déménageur le mieux payé au monde.

La plupart des artistes sont confrontés à la nécessité de boulots alimentaires plus ou moins agréables, plus ou moins bien payés. Depuis des années, des commandes d'écriture de toutes sortes m'ont aidé à payer mes factures. L'année dernière j'ai rédigé les menus et le descriptif des plats du Dragon d'acier, une chaîne de restaurants chinois. C'était bien payé (argent en partie dépensé en vêtements pour Cyrus, en livres, en cordes de guitare et en stock de légumineuses et de chocolat), et ça ne m'a pas pris beaucoup de temps (et j'ai pu laisser libre cours à mon imagination : je suis assez fier de mon « Nouilles de sarrasin en feu couchées dans leur cimetière de légumes primeurs »).

Lors de notre première rencontre, Sanaa m'a reproché de donner des leçons aux autres et de me croire supérieur. Je trouve sa critique injuste : chaque jour je fais l'expérience des concessions indispensables à ma simple survie. Je me débrouille avec le monde qu'on m'a donné. C'est maladroit, insatisfaisant, difficile, blessant. Pour pouvoir être libre dans mon art, je suis parfois obligé d'accepter de jouer des jeux sociaux qui m'insupportent, de ravaler mon ego et mes principes. C'est imparfait. Je ne suis pas pur.

En m'obligeant à jouer au déménageur, Sanaa me rappelle l'extrême fragilité de mon existence. Grâce à ses concerts et à ses livres, les revenus de Coline sont meilleurs que les miens, mais nos comptes sont bien souvent vides. *L'Évasion de Samuel Beckett* est mon dernier roman à avoir bien marché. *Dragongirl* (une histoire de super-héroïne féministe pour adultes) et *Naissance d'un écrivain* (un livre sur la création sous forme de correspondance fictive) ont été mes pires échecs depuis des années (même si j'ai eu de nombreux retours de lectrices et de lecteurs qui m'ont permis de tenir le coup). Monstrograph, l'atelier-maison d'édition que j'ai fondé avec Coline, nous rapporte quelques euros chaque mois, nous envoyons des paquets de nos créations à travers le monde. J'anime des ateliers d'écriture et je suis invité à des rencontres. Mais ce n'est pas l'année la plus florissante financièrement. Heureusement nous avons un potager (magie de voir surgir des potimarrons et des courges musquées), nous échangeons avec des voisins une partie de notre récolte contre du bois de chauffage ou des menus services en électricité, nous fabriquons nos propres produits ménagers et le Bon Coin est notre boutique préférée.

J'appartiens à une génération extensible. Notre vie n'en finit pas de démarrer. Nous avançons et l'instant d'après l'océan nous rejette sur le rivage. Nous ne désirons pas réussir, nous ne voulons pas être riches et célèbres, nous voulons simplement ne pas échouer trop lamentablement. Cette quête de normalité et de calme est un désir que ne comprennent pas ceux qui ne vivent pas dans la houle et la bruine.

La plupart de mes amis ont des jobs d'étudiants alors qu'ils ne sont plus étudiants depuis longtemps. Les radiateurs sont au minimum et nous partons rarement en vacances. Nous trouvons des trucs pour aller voir des concerts pas chers, pour récupérer des meubles, de vieux frigos. Nous nous en sortons. Mais jusqu'à quand ? Aujourd'hui, Ginsberg n'écrirait pas « *I saw the best minds of my generation destroyed by madness* », mais « *I saw the best minds of my generation destroyed by shitty jobs and crazy rents* ».

Je demande à Sanaa si elle n'a pas des amis pour l'aider à déménager. Elle me répond qu'elle n'a rien dit à personne. Même son mari n'est pas au courant. Il tourne un documentaire en Corée du Sud, à Jeju, et il ne rentrera pas avant un mois.

– Vous avez prévu un camion ?

Elle fronce les sourcils. Non, elle n'y a pas pensé.

77

On convient que je remplirai les cartons et que je les empilerai. Comment reconnaîtrai-je ses affaires de celles de son mari ?

– Tout est à moi, répond-elle. Étienne n'a jamais eu d'argent. Vous pouvez lui laisser un caleçon et la pile de magazines sur la table basse.

Je suis à la fois affligé et admiratif. Il y a une certaine beauté à la radicalité de Sanaa.

Le café est tiède. Sanaa a son air habituel : elle gère. Elle m'a engagé, elle est certaine que je m'acquitterai très bien de ma tâche. Son téléphone sonne. Elle me salue d'un geste de la main et sort de l'appartement sans me dire un mot. Le cours de sa vie n'attend pas.

Ça va me prendre la journée. C'est un des travaux d'Hercule, sauf que je ne suis pas une montagne de muscles. Les déménagements sont un fléau moderne, au même titre que les smartphones et le moustique tigre. Au cours de mes dix années à Paris, j'ai déménagé quatre fois. J'ai aussi aidé des amis et de vagues connaissances à transporter d'un arrondissement à l'autre des canapés trop grands, des caisses de livres trop lourdes et des cartons de vaisselle fragile. Trop de déménagements finissent par conduire à la misanthropie ; on connaît le prix de l'amitié : courbatures, maux de dos, luxations. Et puis les déménagements sont des mirages.

On ne déménage jamais. On pense qu'en quittant tel appartement, tel quartier, la vie recommencera différemment, mais c'est toujours la même merde rehaussée d'espoirs déçus. J'ai constaté que ceux qui déménagent le plus sont les plus déprimés. Penser que la géographie résoudra leurs problèmes existentiels est d'une grande naïveté.

Je termine ma tasse de café et je me mouche. Les croissants finissent à la poubelle. D'abord, former les cartons. J'en déplie vingt, je les scotche. Maintenant, les remplir. Je n'ai jamais déménagé l'appartement de quelqu'un que je ne connais pas. Toutes les affaires et tous les secrets de Sanaa sont à ma disposition. Comment cela peut-il ne pas la gêner ? Hypothèse : à partir d'un certain niveau de mégalomanie et de richesse, les employés sont trop éloignés socialement pour constituer un danger. Ils n'appartiennent pas à la même espèce. Je suis un manutentionnaire, je fais partie du prolétariat, je suis une sorte de robot, alors pour Sanaa peu importe que je vide ses tiroirs de culottes dans des cartons, peu importe si je tombe sur des sex-toys ou des comptes bancaires dans des paradis fiscaux.

Le risque de trouver des choses embarrassantes me stresse. Je ne veux rien connaître des autres. D'expérience, je sais que l'espèce humaine est lâche, pitoyable, vile, pleine de désastreux secrets. Je ne désire pas de preuves supplémentaires. J'enlève mes lunettes et je les pose sur la table basse. Ma myopie sera ma meilleure alliée. J'ai seulement besoin de voir les contours des objets et des affaires de Sanaa, les détails peuvent rester flous. Avec le temps, j'ai réussi à faire de mes problèmes de santé mineurs des pouvoirs. Ma myopie m'aide à ne pas trop voir les gens et à ne pas être intimidé par eux. Mes migraines me permettent de m'isoler et de quitter repas et soirées dès que je le désire. Mes allergies alimentaires (sans parler de mon véganisme) ne favorisent pas les invitations à dîner.

Un déménagement semble ne jamais finir. C'est long et douloureux comme une nausée.

Douze heures durant je deviens une machine. Je forme des cartons, je vide des armoires, je remplis les cartons, et je les empile. Il y a une certaine beauté abstraite à transformer ces amas de vêtements, cahiers, livres, ustensiles de cuisine en piles de cubes bruns. C'est un travail d'alchimiste.

Je pense aux livres que je pourrai acheter, je pense aux travaux que je pourrai faire. Aider Sanaa à mettre fin à son histoire avec son mari me permet de continuer à construire la mienne. J'y vois une sorte de revanche sociale. Je sais bien qu'on n'est pas censé désirer se venger. Ce n'est pas chic, pas poli, pas élégant. Mais je me moque de ce que la morale majoritaire considère comme bien ou pas. Je revendique la réappropriation des émotions et des comportements décriés, ridicules et pathétiques. Quand l'occasion se présente, j'aime me venger. Sans fracas, avec douceur, dans le secret. Savoir que je suis payé pour acter la fin de la relation entre celle qui se pense comme ma patronne et son mari me donne chaud au cœur.

Je lève les yeux. Soixante-dix-huit cartons sont collés contre les murs de l'appartement. Les meubles empilés les uns sur les autres au centre des pièces me rappellent les hautes termitières australiennes. Je ne sens plus mes bras.

J'ouvre les yeux. Je suis assis sur le banc devant l'entrée du parc de Morsang-sur-Orge. Mon jeune-moi apparaît au coin de la rue. Aussi mal habillé que d'habitude, il porte son sac à dos sur l'épaule gauche. Ses lunettes mal serrées glissent sur son nez. Il rentre du collège. Je me rappelle qu'à l'époque un gamin me harcelait et me frappait. Qu'est-ce que je peux faire contre ça ? Mon jeune-moi a fait du judo, dans deux ans il prendra des cours de taekwondo, puis de việt võ đạo. Mais ça ne lui servira jamais, ça ne nous servira jamais : la technique n'est rien quand on déteste la violence. Un mauvais combattant hargneux l'emportera toujours sur quelqu'un qui fait des arts martiaux et qui déteste se battre. Malgré tout, les arts martiaux nous ont donné une certaine confiance physique. Ce n'est pas rien.

Mais aujourd'hui comment peut-il se défendre ? Je me rappelle les parades trouvées : faire des détours en rentrant du collège, me fondre dans la masse d'un groupe qui marche, me cacher. La vieille arme des faibles : la ruse.

Quand il me voit, il me hèle. Il accélère le pas. On ne sait pas comment se saluer. On ne va pas se serrer la main ni se faire la bise, alors je lui propose de faire un *dap* (*dignity and pride*) : on cogne nos poings droits l'un contre l'autre. C'est un geste inventé par les esclaves dans les plantations de coton aux États-Unis, l'ancêtre du *high five*. Nous ne sommes pas des esclaves. Nous sommes opprimés de bien des manières mais nous ne sommes pas des esclaves. J'aime raconter l'histoire de ce geste. J'aime rappeler son origine politique. Nos gestes et notre corps, nos attitudes et nos habitudes sont chargés de mémoire et de combats.

Aujourd'hui, je vais l'aider par des conseils pratiques.

– On va faire les magasins.

Il me regarde avec circonspection.

– Et avec quel argent ?

Très juste. Il n'a pas un centime et je ne peux pas utiliser ma Carte Bleue. Je fouille dans ma poche et j'en sors un billet de vingt euros. Inutilisable.

– On va faire du lèche-vitrines en prévision du jour où tu auras les moyens d'acheter quelque chose.

– Tu veux aussi qu'on regarde la carte des restaurants pour rêver à ce que je pourrai manger dans vingt ans ?

– Mon plan n'est pas parfait. Mais je sais que je peux t'apprendre des choses.

Direction le centre commercial. On marche en silence. J'aime être à ses côtés. J'ai le sentiment de le protéger. Il peut compter sur moi.

Les boutiques d'un centre commercial des années 80 en banlieue donnent une bonne idée de la mode de l'époque. Le jean règne en roi (pantalons, vestes, blousons, chemises), il y a des paillettes, des couleurs vives, du fluo, du faux cuir. La bande-son est composée des tubes du moment. Jean-Jacques Goldman termine de chanter « La vie par procuration ». Je me rends compte que j'appartiens à ce temps. Je n'ai pas envie de rentrer au XXIe siècle. Je suis de l'époque des synthés, des permanentes, des moustaches et des vestes trop larges. C'est mon biotope. Même trente ans plus tard, je suis toujours un enfant des années 80 et 90, entre fluo et grunge.

Nous faisons quelques magasins et j'en arrive à la conclusion que mon jeune-moi n'a aucun intérêt à se costumer comme ses contemporains. Sa pauvreté le protège du mauvais goût de l'époque. Tragédie de la mode. On a l'air idiot, et quelques décennies plus tard le look qui nous valait des moqueries (l'exemple des chemises à carreaux et des grosses lunettes est frappant) est repris par les jeunes gens branchés.

Je suppose que nous sommes samedi. La foule des familles et des adolescents a envahi les galeries. C'est un moment joyeux, comme une promenade, l'occasion de tomber sur des amis. Un groupe d'adolescents aux cheveux longs passe devant nous. D'énormes patchs Iron Maiden sont cousus au dos de leurs vestes en jean. À l'époque, les fans de hard-rock étaient les plus doux et les plus sympas du collège. Comme si leurs tenues et les dessins horrifiques étaient simplement un moyen de tenir à distance les gamins normaux et bien plus effrayants. Les haut-parleurs du centre commercial diffusent « The Final Countdown », d'Europe. Je bats le rythme en remuant la tête. Mon jeune-moi m'imite. On éclate de rire.

Il me demande :

– Les gens s'habillent comment à ton époque ?

– C'est triste à mourir. Les hommes sont en noir et en gris. Quelques-uns osent des couleurs automnales et des chemises bariolées. C'est le problème des hommes : ils veulent être pris au sérieux, donc ils pensent devoir faire croire qu'ils sont dénués de fantaisie.

– C'est idiot.

Il n'y a jamais qu'une seule mode : le contrôle social.

– M'en parle pas.

– En même temps, je trouve qu'ici il y a un peu trop de couleurs.

C'est vrai, autour de nous hommes et femmes n'hésitent pas à marier une chemise vert criard avec un jean délavé. Mais je préfère ces mélanges bizarres à l'élégance sobre et peureuse des années 2010.

– On va laisser tomber les boutiques.

– Ce n'est pas ma passion.

– En tout cas, essaye de ne pas porter uniquement des chaussures de sport. Surtout, mets des pantalons et des chemises plus ajustés. Tu nages dans tes vêtements. On a l'impression que tu disparais.

Je l'entraîne devant un salon de coiffure. La mode là aussi fait des ravages, mais rien ne peut être pire que ses cheveux mi-longs qui partent dans tous les sens. « In Between Days » par The Cure sort des haut-parleurs.

– On a l'impression qu'un vautour a fait son nid sur ton crâne.

– De toute façon, je vais perdre mes cheveux. La calvitie coûte moins cher qu'un coiffeur.

– Sauf que tu vas commencer à perdre tes cheveux dans quinze ans. Tu as passé l'âge que ta mère, notre mère, te coupe les cheveux. Demande-lui un peu d'argent. Et là, une fois dans le salon, ne laisse pas le coiffeur suivre son inspiration. Guide-le.

Je le sens tendu. Son visage se ferme. Il regarde ses pieds.

Il dit :

– En fait, ce que tu veux c'est que je ne devienne pas toi. C'est déprimant. Tu n'as qu'à te suicider si tu as tellement honte de nous.

– J'essaye de t'aider.

– Je ne veux pas devenir normal. Pour qui tu me prends ? Je ne veux pas changer simplement pour avoir plus d'amis et une copine. Je ne veux pas une coupe de cheveux cool, je ne veux pas des vêtements à ma taille. Je n'aime pas que tu critiques ma manière de m'habiller. Je fais ce que je peux et ce que je veux. Moi aussi je pourrais te critiquer.

Il s'arrête et me détaille de la tête aux pieds.

– Tes chaussures coûtent cher. Ça se voit.

Un sentiment de honte monte en moi. J'ai l'impression de l'avoir trahi. Bien sûr, j'ai des justifications : acheter des vêtements de qualité est plus écologique et plus éthique. Mais c'est aussi un marqueur social. J'ai acheté ces chaussures en piñatex un jour où j'avais un peu d'argent, je voyais ça comme un investissement sur le long terme.

Il continue :

– C'est classe. Mais laisse-moi te dire un truc : *ça ne marche pas*. Quel que soit le prix que tu mettras, tu ne seras jamais chic. Ce n'est pas toi. Ce n'est pas nous. Tu ne seras jamais bien habillé. Ce n'est pas notre nature.

87

Même un grand couturier n'arrivera pas à te rendre élégant.

Il m'achève :

– Être mal habillé est une question morale.

Il accélère le pas et se dirige vers le McDo. Je le rattrape.

– Je suis désolé. Je m'y suis mal pris. Je veux juste t'éviter les problèmes.

– Je ne veux pas éviter les problèmes au point de cesser d'être moi. Et puis, on ne s'en sort pas trop mal, non ? On a une copine et un enfant. Que demander de plus ? Ça vaut la peine de supporter des années difficiles. Ça les rachète.

– Je n'ai pas le sentiment que ça les rachète.

– Eh bien tu as tort. Tu as *bigrement* tort.

– Tu pourrais t'en sortir mieux.

– Je ne veux pas, si ça veut dire faire des concessions.

Il va à la caisse et commande un Fizzy Bubblech. Le serveur lui donne le soda. On s'assoit. Il lève les yeux vers moi. Il s'est adouci.

– Ça va vraiment être si difficile ces prochaines années ?

– Plus que pour la moyenne des gens. Tu veux que je te dise ce qui t'attend ?

– Laisse-moi la surprise.

Je pense à la violence de ma scolarité, à mes échecs,

à mon redoublement en seconde, à cette fois où un mec a pointé un revolver sur mon front, à cette fois où j'ai planté un compas dans la jambe d'un élève de la classe pour qu'il cesse de m'emmerder, à toutes ces fois où j'ai été bousculé, à mon incapacité à être avec les autres, à l'inexistence de ma vie sentimentale. Je pense à mon frère et à la manière dont l'école l'a traité (« Tu es passionné d'ornithologie ? Alors direction BEP bûcheronnerie »). Je pense à ma mère et aux obstacles sur sa route. Bien sûr, je pense à mon père et à tout ce qui va lui arriver. À tous ces connards qui lui porteront des coups.

Je ne peux pas lui parler de tout ça. De ce qui sera violent et atroce. Il a raison. Je dois lui faire confiance. Il trouvera les ressources.

C'est tellement injuste. Les larmes me montent aux yeux. Mais sur qui est-ce que je pleure ? Sur lui, vraiment ? Ou sur moi ? Je m'autoapitoie et ça ne l'aide pas. Je dois arrêter.

Je lui dis :

– On se forge des armes et on invente des parades. Basiquement, la vie reste dégueulasse, les connards, les mêmes que dans la cour de récréation, continuent à régner. Mais tu rencontreras des gens bien, tu te trouveras des alliés, des minoritaires parmi les minoritaires.

Il semble un peu rassuré.

– Et au fait, on fera quoi comme métier plus tard ?

– À ton avis ?

– J'ai bien peur qu'on travaille dans les égouts. Ou qu'on soit au chômage. Non ? Ramasseur de rats morts ?

Il n'est pas très optimiste concernant notre avenir. Les Rita Mitsouko chantent « Marcia Baïla ».

– On sera écrivain. On est écrivain.

Son visage s'illumine et je n'ai jamais été aussi heureux.

– J'aurai une copine, un enfant, je ferai le métier dont je rêve et j'aurai de quoi payer mon loyer. C'est tout ce que j'ai besoin de savoir. Pour ça, je suis prêt à traverser beaucoup d'épreuves.

Je pense : Non tu n'es pas prêt. Mais tu y arriveras.

– Je n'ai pas besoin de plus.

Inutile de lui parler de la chaudière en panne et de la fuite du toit, il m'accuserait de me plaindre.

Nos rencontres sont apaisantes : je suis obligé de l'écouter. On se connaît trop bien pour se mentir ou trafiquer la vérité.

On se frappe le poing.

Je me réveille.

Chaque pas est douloureux. Je ne sais pas quelle tâche va me confier Sanaa aujourd'hui, mais je serai incapable de porter quoi que ce soit. Mes courbatures s'ajoutent à mon rhume. Je suis épuisé. Seules mes nuits et mes conversations avec mon jeune-moi me reposent.

Marcher dans Paris, c'est comme marcher dans un cimetière. Des fantômes surgissent sans cesse. Amis, soirées, chagrins, nuits d'hiver où nous achetions de la piquette à 3 heures du matin, discussions sur les bords du canal Saint-Martin.

Je l'ai compris il y a quatre ans en déménageant dans la campagne bruxelloise : Paris n'est pas une ville. On nous raconte des histoires quand on nous parle des villes comme quelque chose d'extérieur. La ville, c'est moi et ce qui se passe en moi. Les embouteillages, la pollution, les idées, les rencontres, l'activité frénétique, le stress, c'est ce qui a lieu dans mon crâne et sous ma peau tous les jours. Voilà pourquoi j'ai besoin d'habiter un environnement qui compensera mon intranquillité intérieure. Vivre à Paris était redondant, c'était du bégaiement : je suis névrosé, angoissé, curieux et agité, ce qui signifie que *je suis Paris*. Aimer Paris, c'est toujours le symptôme d'une névrose narcissique.

Depuis notre exil en Belgique, il me semble que l'étranger est un bon endroit pour être français. Mais retrouver mon pays m'émeut. C'est chez moi. J'aime ce pays joyeux et frondeur, j'aime ce pays dès lors qu'il se donne la liberté de ne plus être rationnel, arrogant et féodal. J'aime une France excentrique, enthousiaste et créative, et qui se bat pour survivre.

J'ai donné rendez-vous à Sanaa au Smörgås, un café suédois du Xe arrondissement. C'est un moyen de rejoindre Coline et Cyrus. Je ne pourrai pas être avec eux avant quelques jours encore, alors je me rapproche de leur environnement linguistique et culturel. Nous avons prévu un rendez-vous Skype ce soir. J'ai hâte.

Sanaa est assise au rez-de-chaussée dans un fauteuil recouvert d'une housse en tissu rouge et vert. Sur la table, un pot de café et des pâtisseries forment une figure triangulaire.

Je ne suis pas psy, mais je pense que Sanaa fait une

dépression. Je ne suis pas qualifié pour l'aider. Manifestement, je ne suis même pas qualifié pour me donner des conseils à moi-même. Je m'assois.

Elle me sert un café et me dit :

– J'aimerais tomber amoureuse.

J'ai envie de lui dire : C'est ce que font les gens qui ne savent pas quoi faire. C'est à la portée de tout le monde. Rien de mieux pour avoir l'illusion d'un changement existentiel sans changer réellement.

Elle me sourit.

– Comment fait-on ? Ça fait quarante ans que je ne suis pas tombée amoureuse. J'ai besoin d'un mode d'emploi. D'une remise à jour.

– Je ne suis pas la meilleure personne pour donner des conseils, compte tenu du néant de mon passé sentimental.

– C'est justement parce que vous avez eu des difficultés que vous avez un point de vue intéressant. Le point de vue de ceux qui ont du succès n'a aucune valeur, c'est un point de vue d'enfants gâtés.

– Qu'est-ce que vous voulez savoir ?

– Est-ce que la sexualité a évolué ?

La conversation prend une drôle de tournure.

– Étienne et moi appartenons à une génération très sage. Je crois qu'il y a eu des changements et j'ai peur de ne pas être à jour. Par exemple, qu'est-ce que c'est que cette histoire de *fist-fucking* ? C'est vraiment si courant ?

Sanaa n'a pas pris la peine de baisser le ton. Tout le café nous entend. J'aime cet aspect de sa personnalité, sa douce excentricité. Je discute sexualité avec une femme de plus de 60 ans. Je ne suis pas contre, je ne suis pas choqué. C'est juste une situation inédite.

Sanaa ajoute :

– Je n'ai pas d'interdits. Mais ça me paraît difficilement praticable, non ?

Elle tend son bras droit et ferme son poing. Nous regardons l'extrémité de son bras avec circonspection.

– Je ne suis pas la bonne personne à qui parler de tout ça.

– Ils doivent mettre des tonnes de lubrifiant. Peut-être que je pourrais commencer par les menottes.

– Peut-être, oui.

Mais qu'est-ce que j'en sais ? Je ne suis pas un magazine féminin ou une revue porno.

– C'était plus simple à mon époque. Et puis Étienne est très doué pour le cunnilingus.

Je sens que nos voisins s'intéressent de plus en plus à notre conversation.

– Je n'ai jamais ressenti le besoin d'essayer des choses

extravagantes. Mais j'imagine qu'il faut que je suive la mode. Les hommes d'aujourd'hui doivent s'attendre à ce qu'on leur verse de la cire chaude sur le corps et à ce qu'on leur frappe les testicules avec des orties. J'ai lu ça dans un article.

Je lui conseille de s'inscrire sur un site de rencontre en ligne. Elle prend note dans son carnet noir, puis elle se rend aux toilettes.

Sanaa m'irrite : elle ressemble à une reine sur son trône. Rien ne lui est impossible, rien ne lui est interdit. Mais elle m'attendrit aussi. Elle a dû lutter deux fois plus que les hommes. Trois fois plus, en raison de ses origines étrangères. Et elle a fini par arriver à son but. Et, finalement, elle est comme moi, comme nous tous : perdue. Elle me fait penser à une raie manta : douée d'une puissance phénoménale, agile et souple, elle ère dans les océans du globe. Elle ne sait pas où elle va mais elle est déterminée. Malgré son calme apparent, sa simple présence me caféine. Depuis que je la vois, je suis plus énergique et plus nerveux.

Je pense à tout ce que j'ai lu sur son parcours.

Elle a créé sa société en 1969 alors qu'elle était âgée de 20 ans et qu'elle venait de quitter la Syrie. Spectrorama a défendu des cinéastes du monde entier, subversifs, critiques, iconoclastes, populaires. Sanaa a la réputation d'être une productrice passionnée. Avec son équipe, elle a porté des films que tout le monde refusait. Le scandale et le silence ne lui font pas peur. Et ça paye : jamais les films d'une maison de production n'ont obtenu autant de distinctions, de prix et de succès publics. Spectrorama est une référence.

Sanaa dirige un petit empire et elle est perdue. Cela reste un mystère pour moi : elle a mis une énergie phénoménale dans son travail, mais elle est incapable d'appliquer sa puissance et son intelligence à sa vie personnelle.

Je n'ai pas de solution à ses problèmes. Mais ce n'est pas un aveu que l'on peut faire à une personne en détresse. Je pourrais poliment lui donner des réponses qui ne changeront rien à sa vie. Parfois les gens ont simplement besoin de réponses douces, réconfortantes, et inefficaces.

Sanaa revient des toilettes, elle s'assoit.

Elle se penche vers moi et dit :

– Votre mission du jour.

J'avais presque oublié cet aspect de notre relation. Elle sort un flacon de la poche extérieure de sa veste et le pose au centre de la table.

– Vous mettrez ce parfum.

Quelle folie m'a-t-elle préparée ? Je prends le flacon en main. C'est un parfum de femme à la tubéreuse.

– C'est mon parfum, dit Sanaa.

Où veut-elle en venir ?

Elle me tend une enveloppe.

– Vous allez rendre visite à ma sœur. Elle est hospitalisée dans une clinique psychiatrique depuis dix ans. Je n'ai plus le courage d'aller la voir. Ne me jugez pas. J'y retournerai dans quelques mois, mais là je ne peux pas, ça m'émeut trop. Vous allez être moi.

– Je vais être vous ?

– Oui.

– Mais je ne peux pas.

– Pourquoi pas ? Vous arrivez bien à être vous-même. Croyez-moi, je ne suis pas plus difficile à interpréter. Ma sœur ne s'apercevra de rien. Elle est aveugle et shootée aux médicaments. Elle connaît mon parfum, c'est elle qui me l'a offert il y trente-deux ans. Merci.

Je n'ai pas le temps de protester, Sanaa se lève et part. J'ai remarqué l'humidité de ses yeux.

J'ai passé trop de temps dans les hôpitaux psychiatriques à visiter des proches. Des dizaines d'histoires sordides (et quelques belles, car dans ces lieux travaillent aussi des êtres admirables) me viennent à l'esprit. Quand je raconte ces histoires, certains ne me croient pas. C'est normal : nous n'habitons pas le même monde. Il y a un monde pour les bien-portants et ceux qui ont assez d'argent pour penser que nous vivons dans un monde égalitaire, et un monde pour les autres.

J'arrive à l'adresse notée dans le dossier que m'a donné Sanaa. C'est un bâtiment tout blanc dans une rue adjacente à la place de la République. Une clinique, ça fait plus propre, plus chic qu'un hôpital, mais ce n'est pas toujours mieux. On devrait juger de l'état d'avancement d'un pays à la manière dont il traite les malades mentaux. En France, on traite mieux les diabétiques.

Les maladies sont un peu comme les animaux : il y a les animaux familiers et domestiques qu'on aime et qu'on protège, et il y a les autres, moins mignons, qu'on massacre et qu'on méprise.

Je me présente à l'accueil, un bouquet de fleurs à la main. La sœur de Sanaa s'appelle Amani. La femme derrière le comptoir me demande mon nom. Un peu inquiet, je dis :

– Sanaa Okaria.

Elle m'indique le numéro de la chambre.

Je retrouve l'odeur de désinfectant ménager propre au milieu médical. Les souvenirs d'autres visites reviennent par vagues.

Devant la porte de la chambre d'Amani, je sors le flacon de parfum. Je m'en couvre. Une bruine de tubéreuse me tombe dessus. Ce n'est pas désagréable.

Je frappe.

Une petite voix dit :

– Entrez.

Une femme d'une cinquantaine d'années aux cheveux courts tourne ses yeux rouges dans ma direction. Elle se tient assise sur le bord de son lit. J'entre. Elle paraît en effet assommée par les médicaments.

À part sa cécité, j'ignore tout de sa pathologie et de son traitement.

Je suis un intrus. Un usurpateur. Un menteur. Un manipulateur. Je me déteste. Je vais lui expliquer. Son nez se lève légèrement. Elle reconnaît le parfum. Elle dit :

– Sanaa ?

Ses yeux rouges sont mi-clos. Un sourire illumine son visage. J'ai envie de pleurer. Je réponds :

– Oui.

Elle devrait s'apercevoir que je n'ai pas la voix de sa sœur. Mais ce n'est pas le cas. Elle tend les mains vers moi. Ses joues rosissent. Son émotion est telle que je me jure de bien jouer mon rôle. Ne surtout pas la décevoir.

Nous passons une heure à parler dans cette chambre aux murs mauves. La pièce est spacieuse, il y a une bibliothèque, une télé, un bureau, la fenêtre donne sur le parc de la clinique.

Comme je suis Sanaa, j'invente un quotidien qui pourrait ressembler au sien, je parle de tournages en Mongolie et en Finlande, de ma vie d'aventure et de défense des artistes. Je romantise l'image d'une productrice. Je parle en détail de films qui n'existent pas (*Hérisson et Renard*, *La Rebelle mandchoue*, *Être fidèle aux blessés, pas aux blessures*, *La Malédiction des chauves-souris, Femmes en guerre*...). Je lui dis que je me suis acheté cinquante chapeaux, parce que dans mon esprit les gens riches achètent beaucoup de chapeaux.

Amani me pose des questions et me demande de préciser des choses.

– La nourriture en Mongolie était bonne ?

– Délicieuse. Le riz est la base de l'alimentation, il est cuit dans du lait de yak et agrémenté d'épices qui poussent dans la toundra, dont une herbe particulière qui a le goût d'huître.

Amani est gourmande, mes inventions culinaires la ravissent.

Je lui pose des questions sur la vie quotidienne à la clinique. Elle me raconte qu'une musicienne vient chaque semaine pour jouer de l'orgue. Un professeur de qi gong vient le mardi et le jeudi. Elle parle de souvenirs communs avec Sanaa.

Elle me dit :

– Tu te souviens ?

Je lui réponds que je me souviens, et je n'ai pas l'impression de mentir. Je ne voudrais pas qu'elle sente que je ne suis pas sincère, alors je me convertis : je suis Sanaa, et tout ce que raconte sa sœur sur leur enfance, leur vie en Syrie, l'oppression, la fuite, tout ça me devient intime.

Je me rends compte que j'imite la posture de Sanaa, je tiens ma tête comme elle, mes gestes sont les siens, ma voix observe sa diction, je suis comme habité par son fantôme.

En vérité, à certains signes, je devine qu'Amani n'est pas dupe. Elle comble trop vite les blancs dès lors que la conversation porte sur des questions familiales, comme si elle voulait m'éviter l'embarras de voir mon personnage s'effondrer.

Nous faisons tous les deux semblant et ça rend nos échanges chaleureux et drôles.

Quand vient le moment de partir, elle pose sa main sur mon avant-bras. J'en ai la chair de poule.

– Je t'aime, sœurette.

À ces mots, je me demande si elle l'a jamais dit à sa sœur. Si elle n'ose enfin les prononcer que parce qu'elle sait que je ne suis pas Sanaa.

Je lui réponds :

– Je t'aime, Amani.

Je sors, triste et heureux à la fois.

Je regarde la machine de Joachim.

Pour Deleuze, « la mémoire est plutôt une faculté qui doit repousser le passé que l'appeler ».

Pourquoi est-ce que je veux revenir dans le passé ? Le temps et la destruction inéluctable de nos neurones sont nos alliés. Le passé est bien à sa place. Depuis que j'ai un passé, je m'entraîne à le passéifier davantage, je cherche à le rendre antique, préhistorique, à l'ensevelir sous des couches de sédiments.

Fernando Pessoa a écrit que nous devrions laver notre destin comme nous lavons notre corps. Je suis d'accord, mais je n'ai pas encore trouvé le savon efficace. Le passé frappe souvent à la porte. Il n'est pas seul responsable de mes crises d'angoisse et de ma collection de névroses (hypocondrie, phobie sociale, cyclothymie, peur de finir à la rue, de mourir de faim et de froid, défaitisme narcissique), mais il n'arrange pas les choses. L'enfouissement a échoué. L'homme que je suis est constitué par les expériences de l'enfance et de l'adolescence, et il est aussi contrôlé par elles. J'ai trop souvent l'impression d'être le golem de mon passé. Chacun de mes actes et chacune de mes pensées est sous l'influence des peurs et des douleurs de mon enfance et de mon adolescence. Chacun de mes actes et chacune de mes pensées est aussi sous l'influence des joies, des plaisirs et des forces de mon enfance – mais évidemment le négatif sait mieux se faire entendre. Je peux d'autant moins m'en débarrasser que je tiens à être fidèle à ce passé. Je tiens à ne pas l'abandonner. Je veux le réchauffer et le guérir.

C'est complètement idiot.

Je me glisse dans la machine et je m'endors.

– Il y a des voitures volantes à ton époque ?

– Non.

– Des combinaisons antigravité ?

Nous sommes assis à une table de la bibliothèque de Morsang-sur-Orge. Je fais « non » de la tête. J'ai un peu honte pour mon époque.

Je dis :

– Pas non plus de téléportation.

– Mais alors qu'est-ce que vous avez de nouveau ?

– Le téléphone sans fil qu'on peut utiliser hors de chez soi. Tout le monde a son propre téléphone.

Mon jeune-moi a l'air navré.

J'ajoute :

– Ah, comme truc cool, il y a internet, quand même.

– Internet ? Ça sonne comme Skynet dans *Terminator*. Ça sert à quoi ?

– Ça permet aux gens de se détester et de s'engueuler à distance sans sortir de chez eux. Très pratique.

Je sais bien que c'est injuste. Comme je veux montrer à mon jeune-moi que mon époque a des trucs chouettes aussi, je rectifie :

– C'est un endroit virtuel où on peut échanger, créer, parler.

– Virtuel, donc faux ?

– Non, virtuel, donc vrai. Ça a de vrais effets. Parfois négatifs, parfois positifs. Tu verras, si on s'en sert bien, si on ne se fait pas déborder et engloutir, c'est passionnant.

– Donc, en gros, l'avenir est décevant ?

– Ce n'est jamais aussi bien que ce qu'on imaginait. La répression et tous les trucs chiants s'adaptent au même rythme que la technologie. Il y a de nouveaux gadgets et on soigne mieux certaines maladies. On a à notre disposition davantage d'outils créatifs aussi. Mais basiquement c'est toujours la même merde. Il n'y a pas de solution à l'existence humaine.

– Il n'y a que le présent, alors.

– Oui.

– Il y a encore des guerres ? J'imagine qu'Israël et les Palestiniens ont fait la paix ?

Je soupire.

– Non. Pas du tout. Ah, quand même, ça va mieux en Irlande du Nord.

Je pense au génocide rwandais et j'ai envie de pleurer. Je préfère ne rien dire.

– On est toujours ami avec R. et V. ?

Mes deux amis de l'époque. Nous étions les *bizarros*.

– J'ai des nouvelles de R. de temps en temps. Il a l'air d'être bien, il bosse et il fait du théâtre. V. a traversé un moment difficile.

– Je vais les prévenir.

– Les prévenir de quoi ?

– Je vais leur dire d'être sur leurs gardes : la vie est lâche, elle frappe par-derrière.

– Et elle dit : « C'est pas moi. » Oui, elle est pitoyable.

– On vit à Paris ?

C'était mon rêve de l'époque. Paris ou Rio de Janeiro.

– On y a vécu dix ans.

Il se réjouit. Enfin une bonne nouvelle.

– Maintenant on habite en Belgique. Près de Bruxelles.

L'idée a l'air de lui plaire. Il remonte ses lunettes sur son nez.

– À cause des frites ?

Parfois, mon jeune-moi fait vraiment ses 12 ans.

– Non, pas à cause des frites, mais parce que la Belgique me semble un pays plus civilisé.

Il fronce les sourcils.

– Donc tu as déserté.

– Je me suis exilé. J'avais besoin de repos et de calme. Fuir la compétition, la neurotypie triomphante, le classisme et le capacitisme.

– Je connais plein de gens civilisés en France, dit mon jeune-moi.

– Ah oui ?

– Disons que j'en connais quelques-uns. Et je ne trouve pas ça chouette de les abandonner.

– Tu as peut-être raison.

J'aimerais bien lui répliquer quelque chose, me défendre et justifier mon choix. Mais quand je discute avec lui, je n'ai pas envie de victoire rhétorique. Avoir raison me fatigue. Ce qu'il dit a du sens. Ses mots valent la peine de ne pas être mécaniquement contredits.

Il me propose de me faire découvrir des livres qu'il aime. Je souris : je connais ces livres, forcément. Mais après cinq minutes dans les rayons je m'aperçois que j'ai oublié la plupart. À mon tour, je lui mets dans les bras des livres qui comptent. Le moment est fort et excitant. Les livres nous relient.

Il disparaît derrière une étagère. Je ne veux pas

partir, je ne veux pas retrouver le réel, je veux rester en 1987. Je voudrais y amener Coline, Cyrus, ma famille, mes amis.

Je commence à sentir quand le rêve se termine. Il y a de petits signes, les bruits sont plus lourds, les contours des choses moins nets. Ça ne va pas tarder. Je passe ma main sur les livres d'un rayonnage, mes doigts rebondissent, je m'avance pour retrouver mon double.

Je me réveille dans la machine de Joachim.

Mon jeune-moi m'inspire. Il ne fait pas de concessions. Il ne flanche pas. Ce qui est magnifique dans la jeunesse et ce qui crée une nostalgie pour cette période, ce n'est pas l'innocence ou l'insouciance, toutes ces bêtises, ce ne sont pas non plus la peau souple et les énormes goûters au chocolat. C'est l'éthique. Certains adultes se plaignent des jeunes adolescents pour une seule raison : parce que ceux-ci ont souvent raison. Ils leur rappellent leurs compromissions actuelles, ce qu'ils nomment dans la novlangue caractéristique de l'âge adulte le « réalisme ». Les adultes renvoient les comportements adolescents à un définitif : « C'est les hormones », ça leur permet d'oublier qu'eux-mêmes se sont assagis et désensibilisés sous la pression non pas de la biologie, mais de la vie en société.

Je marche dans Paris, je n'ai pas pris de petit déjeuner, je suis perdu et fébrile. J'approche du café Smörgås où Sanaa et moi avons rendez-vous pour la deuxième fois. À cause de la fatigue, à cause de mon rhume persistant, à cause du trouble de mon esprit, le paysage de la ville est flou, indistinct. Je ne vois rien que mes pieds sur le trottoir. Depuis la naissance de Cyrus, Coline et moi passons notre temps avec lui. Nous le nourrissons, nous le changeons, nous le lavons, nous lui sourions. Nous rions et nous jouons ensemble, il nous parle et nous lui parlons, dans ce langage subtil et chaotique qui lie parents et enfant. Cyrus me manque, ma famille me manque. Je n'ai pas le courage ni la force de m'occuper d'une adulte de 60 ans. Ce n'est pas le moment.

Sanaa est déjà installée. Dans ses habituels costume noir et chemise blanche, elle pianote sur son smartphone. Le serveur me fait un signe de tête. Je m'assois. Sanaa et moi nous nous saluons, le café arrive. J'ai le ventre vide, je ne devrais pas le remplir d'un liquide acide. Mais je n'ai pas faim et j'ai besoin de la chaleur et de la couleur du café. Je me demande ce que Sanaa va inventer cette fois.

– Je me suis inscrite sur un site de rencontre. Je ne crois pas que ce soit pour moi. Ma présence virtuelle n'a pas le même impact que ma présence réelle. Je ne séduis pas. J'ai besoin de frôler le corps de l'autre, de faire entendre les intonations de ma voix, d'utiliser mon regard. Je veux un homme. Vous êtes un homme, Martin. Comment fait-on pour vous avoir, vous les hommes ?

Je plonge mes lèvres dans le café. Encore une question impossible.

– Je ne sais pas. Il y en a partout.

– Bien sûr. Mais je veux un certain type d'homme. Je fanfaronnais l'autre jour, mais je ne m'intéresse pas aux fantaisies sexuelles.

– C'est déjà bien de savoir quel genre d'homme vous cherchez. C'est important.

– Je veux un homme intelligent, drôle et sensible, mais c'est le minimum. Je veux un homme qui aime les câlins et les cunnilingus. Les deux grands C. Et pas les cunnilingus seulement avec la langue, je veux qu'il se serve de ses doigts aussi. Ah, et j'aimerais que cet homme ne soit pas intéressé par la pénétration. Je n'ai jamais aimé ça, c'est ridicule, aberrant, désagréable, il faut le dire. Étienne s'en passait très bien.

J'aime que Sanaa sache ce qu'elle veut. Pour ça je l'admire. Une telle personnalité séduira forcément. Je lui dis :

– Il y a toutes sortes d'hommes. Nous sommes

comme un arc-en-ciel. Je suis sûr que vous allez rencontrer quelqu'un.

Sanaa semble rassurée. Le serveur nous ressert. Peut-être qu'elle va me laisser partir. J'aimerais avoir du temps pour me promener. À chacun de mes passages à Paris, j'en profite pour acheter du chocolat. Mais Sanaa semble heureuse de passer du temps avec moi dans ce café exotique.

Elle me dit :

– Racontez-moi votre vie de pauvre.

– Je ne suis pas pauvre.

– Si vous n'étiez pas pauvre, vous ne seriez pas là.

Elle a raison.

– J'ai été pauvre aussi, vous savez. Quand je suis arrivé de Syrie, j'ai connu des années de galère. De belles années.

– Les anciens pauvres idéalisent toujours leurs années difficiles.

– Je voudrais retrouver quelque chose de la candeur de ce temps-là.

– Vous dites « candeur », mais en fait c'était de l'angoisse.

Sanaa ne compte pas abandonner sa vision idéalisée de sa jeunesse. Mais après tout, pourquoi la détromper ? Évidemment, toute idéalisation de la galère m'exaspère, mais on a le droit de changer le passé. Si Sanaa préfère croire que ses jeunes années, sans aucun doute difficiles et angoissantes, étaient un âge d'or, alors c'est son droit. Je devrais le respecter. Mais mon esprit de contradiction est un animal hargneux.

– J'étais vivante, dit-elle en frappant doucement sur la table avec son poing droit.

– Vous *êtes* vivante. Vous respirez.

Elle souffle dans le creux de sa main.

– Mon haleine sent le méthane. Mon cœur semble battre, mais je crois plutôt qu'il a le hoquet. Je suis détraquée.

Ce n'est pas vrai. En tout cas extérieurement. Elle est magnifique. Elle déborde d'énergie et d'esprit. Ses yeux sont pétillants.

– Vous dites que vous voulez changer de vie, mais vous ne le supporteriez pas. Vous avez vos habitudes et votre confort.

Je regrette instantanément d'avoir été dur.

Sanaa me demande de l'aider à revenir à la vie et je ne peux pas l'aider.

– Vous voulez dire que je suis prisonnière ?

– C'est une prison chauffée.

– Je pourrais vous étonner.

Elle est vexée. Je suis désagréable. Ça ne me ressemble

pas. Mais elle me met dans une position difficile. Je ne veux pas aller dans son sens, je ne veux pas lui donner la satisfaction de se plaindre alors que la plupart de mes amis galèrent. Je suis désagréable avec Sanaa par esprit de justice, mais ça me laisse un sale goût dans la bouche. Je me rends compte qu'à cet instant je ressemble un peu au portrait assassin qu'elle a fait de moi lors de notre premier rendez-vous. Il faut croire qu'intuitivement on se met à ressembler à ce que notre interlocuteur pense de nous, l'opinion de l'autre à notre égard nous caméléonise, nous changeons de couleur et de motifs pour satisfaire à sa vision. Peut-être aussi que ce qu'elle a dit de moi contient des paillettes de vérité.

– Je peux changer de vie.

– Vous pouvez jouer avec cette idée, mais vous ne pouvez espérer aucun changement véritable. En théorie, oui, vous pourriez quitter Spectrorama et louer un studio en banlieue, devenir caissière dans un supermarché. Mais vous ne le ferez pas. Vous changerez comme les riches changent : par la spiritualité, en faisant du yoga, de la méditation, et en s'impliquant dans des associations caritatives.

Certes, j'ai le droit de me sentir énervé par Sanaa. Mais pourquoi répliquer ? Je ne la connais pas, j'ignore toutes les souffrances qui l'ont conduite à être ce qu'elle est. C'est la guerre en Syrie, peut-être y a-t-elle encore de la famille. Je ne sais rien d'elle, ça devrait me pousser à être délicat. En vérité, je ne sais pas comment me conduire avec elle. Elle me paye, ça crée une position hiérarchique que je supporte mal. Je ne sais pas comment être moi-même en sa présence. Ce n'est pas une relation amicale, pas non plus une relation professionnelle classique : c'est un échange entre une productrice et un artiste.

Souvent la vie ressemble à l'intrigue d'un roman policier : que faire du corps des autres ? Comment s'en débarrasser ? Le plus simple est de quitter la pièce.

Je m'excuse et je pars en regrettant de n'avoir pas acheté quelque chose à manger. Une journée de travail pour Sanaa Okaria s'achève. J'aurais préféré porter des cartons. C'est moins douloureux qu'une conversation.

Je me souviens d'un article du botaniste Francis Hallé qui racontait que les arbres n'ont pas seulement des feuilles extérieures, ils possèdent aussi des feuilles intérieures, à côté des racines, des feuilles qui poussent vers le centre de la terre. Je vois les êtres humains ainsi : ils ont des feuilles souterraines. Personne ne les voit, parfois pas même soi, mais elles sont là, signes du complexe et du surprenant insoupçonné. Je me promets d'être plus modeste dans mes rapports avec Sanaa. Cette année, je me suis juré de ne me fâcher avec personne. Dès lors que je me sens agressé, blessé ou trahi, j'ai du talent pour les explosions interpersonnelles. C'est usant, fatigant, stérile. Je ne suis pas naïf : un monde de douceur sociale ne va pas tout d'un coup surgir. Ça va rester la même merde. Mais je ne veux plus participer à la fabrication de chamailleries et de colères. J'ai trop à faire avec moi-même pour prendre au sérieux les conflits avec les autres.

La cuisine de Joachim est petite mais fonctionnelle. La qualité des ustensiles donne une idée de sa passion pour la gastronomie. Je prépare un chili sin carne en écoutant du forró.

Je me couche dans sa machine avec l'intention de transmettre ma sagesse.

J'apparais sur un stade.

Mon jeune-moi court en deuxième position, vingt élèves derrière lui. C'est de l'endurance. J'étais très mauvais en sprint (et en sport en général), mais courir longtemps je savais faire parce que c'est un effort plus existentiel que physique.

Je le rejoins sur la piste de bitume et de gravier, j'essaye de le rattraper. Mais je manque de souffle. Je peine à arriver à son niveau.

– Martin !

Il tourne la tête. Mais il ne ralentit pas. Il a un sourire narquois aux lèvres. Un sourire de revanche. Je cours encore deux mètres au milieu des élèves les moins doués et je m'arrête, à bout de souffle.

Dix minutes plus tard, la course se termine. Mon jeune-moi s'assoit sur un banc. Il m'ignore.

Je m'assois à côté de lui. Je lui dis :

– Tu as l'air fâché contre moi.

Il pince ses lèvres. Ça me fait mal au cœur. Il regarde fixement devant lui.

– En fait, tu ne sers à rien. Je ne veux pas être méchant, mais qu'est-ce que tu peux faire pour moi ? À part me raconter que la vie va continuer à être difficile ? Tu me dis uniquement des choses décourageantes. Manifestement, ta vie d'adulte ne t'a pas permis de résoudre notre rapport au monde. Mais moi *ça m'est égal*. Je ne veux pas savoir tout ça. Ton angoisse ne m'aide pas, tes regrets ne m'aident pas, tes blessures ne m'aident pas. Comment peux-tu croire que tu vas m'être utile ? Je n'ai pas besoin que tu me dises que le monde est parfois atroce, je le sais déjà. Tu m'énerves. Tu devrais être heureux. Plus heureux que tu ne l'es. Tu as tout ce que je veux et tu te plains. C'est très énervant. Ça veut dire que quoi qu'il arrive je serai toujours pessimiste et cyclothymique. C'est déprimant. Tu es déprimant.

J'ai honte de moi. J'ai honte de me faire honte et de me décevoir. Je ne sais pas quoi dire. J'ai l'impression d'être la Sanaa de mon jeune-moi. Je prononce la phrase internationale des gens qui ne savent pas quoi dire :

– Je suis désolé.

Mais son visage est rouge, il est toujours en colère, son élan ne faiblit pas :

– Si tu veux que je sois heureux, alors n'essaye pas de m'aider à être heureux. Je me débrouille tout seul. Si tu veux que je sois heureux, montre-moi que *tu* es heureux, pas que tu portes comme un boulet nos blessures et nos humiliations d'enfance.

J'ai la gorge serrée. Il pèse cinquante kilos, il mesure moins d'un mètre soixante, il est coiffé n'importe comment et il a 12 ans, mais il a raison. Comment ai-je pu perdre ce savoir intime ?

Je ne pensais pas un jour me disputer avec moi-même.

Il ajoute, enfin avec douceur :

– Et si je veux rencontrer cette fille avec qui tu es, il ne faut pas que j'écoute tes « conseils ». Sinon je risque de trouver quelqu'un d'autre plus tôt.

– Je n'avais pas pensé à ça.

– C'est une situation classique de roman de science-fiction.

– Je vais arrêter de te donner des conseils, alors.

– Merci.

Il tire sur les branches de ses lunettes pour les remonter sur son nez. Il s'est calmé. Son visage retrouve ses airs enfantins.

– Je ne veux pas changer, je ne veux pas être autre chose que ce que je suis. Je veux que le monde soit autre chose.

– Autant te le dire tout de suite : ça n'arrivera pas.

– Tant pis.

– C'est rassurant de voir que tu fonces tête baissée vers les embûches.

Il hausse les épaules et il me dit :

– C'est notre style, après tout.

Le prof de sport siffle et appelle les élèves : fin du cours, direction les vestiaires.

Je me réveille.

Il est 8 heures. Magie des matins de printemps. Je respire profondément. Mes muscles me font toujours mal et mon nez est bouché. Mais ça va. Je tiens debout. Je m'installe en terrasse et je commande un café allongé, des tartines et un jus d'orange.

Je pense au rêve de la nuit.

Je ne vais pas m'épuiser à protester et à trouver injuste mon jeune-moi : il a raison. Celui que l'on était dans le passé n'est pas là pour nous plaindre ou nous rassurer, il est là pour nous secouer. Pour nous engueuler. C'est sa fonction comme c'est la fonction de tous les fantômes.

Je me rends compte que j'ai fait l'exact inverse de Sanaa. Elle idéalise son passé, je tragédise le mien.

À 41 ans je lutte toujours contre des angoisses, un rapport douloureux au monde et des relations compliquées avec ceux que l'on nomme de ce terrifiant euphémisme : les gens. Mes amis sont mes compagnons d'anxiété et d'enthousiasme depuis une dizaine d'années. Je galère un peu. Mais ça va. Je suis vivant. Je me suis sauvé. J'ai fait du chemin. Mon jeune-moi a raison.

Je me sens plus léger. Avec le parfum du café et le spectacle des passants, je retrouve de l'énergie.

Coline et Cyrus sont à des milliers de kilomètres. Je gâche dix jours de ma vie à être le larbin d'une millionnaire. Seules mes discussions avec moi-même sauvent mon séjour parisien.

Il est 9 heures et je n'ai pas de nouvelles de Sanaa. Peut-être m'a-t-elle oublié. Peut-être s'est-elle lassée. Que faire de ma journée ?

J'appelle Okalanie, une de mes ami.e.s qui sont restés à Paris. Quelques-uns vivent encore dans l'est de la ville ou en banlieue proche, mais je n'ai pas la force d'aller leur rendre visite. Je n'ai pas le courage de leur raconter le ridicule de ma situation et de ma relation avec Sanaa. La plupart ont quitté Paris. Manon, ma meilleure amie, ma petite sœur, s'est installée près de Bourges dans une propriété avec du terrain où elle a établi son atelier d'artiste, elle recueille des animaux blessés et abandonnés, et elle nous accueille quand nous avons besoin de reprendre des forces. Ma mère a déménagé à Bordeaux et mon frère vit en Dordogne avec des ami.e.s à lui (ils se sont installés dans un village quasi à l'abandon, ont ouvert un cinéma, planté des potagers, ils se débrouillent très bien, c'est impressionnant). Laurent S. vit à Vancouver. J'ai des amis dans de petites villes de France, d'autres à Lisbonne, à Berlin et au Brésil. Se voir n'est pas simple. Tous les étés nous essayons de nous retrouver dans une grande maison.

Okalanie résiste. Elle se décrit comme une sentinelle sur la ligne de front.

Elle me dit de passer la voir à sa librairie.

Je paye mon café et je me dirige vers l'arrêt de bus. Les passants essayent de croire au printemps en portant des couleurs imprimées dans des ateliers en Asie du Sud. Ils trottoirent et passage-piétonnent et me laissent du rouge, de l'orange, du jaune, du vert sur la rétine. Comme dit la chanson : je souris et le monde me sourit.

Okalanie et moi nous nous sommes rencontrés en fac de biologie. Nous nous sommes parlé pour la première fois pendant un cours d'éthologie sur les mœurs de séduction des canards.

C'était le Paris des années 90, bordélique, joyeux et difficile, un Paris où on pouvait vivre en étant fauchés.

Le courant est tout de suite passé. Okalanie mangeait ses déjeuners dans une bentō box à motif totoroesque. Elle restait seule. Elle n'essayait pas de frayer avec les autres. Déjà sentinelle : elle n'abandonnait pas sa position. Elle n'était pas du genre à faire des concessions. L'amour des livres est ce qui a achevé de nous unir. Nous passions des soirées entières allongés, elle sur son lit et moi sur le canapé, à lire, dans notre tête et à haute voix, du Mme de Staël, du Mireille Havet, du Paul Nizan, du George Orwell, du Clarice Lispector. Nous écoutions de la musique et regardions des films.

Lors des grandes grèves de 1995, Okalanie a ouvert son appartement à mes amis (la plupart vivaient encore en banlieue), à mon frère et à ses amis pour qu'ils puissent dormir à Paris au lieu de reprendre le RER.

C'est elle qui m'a fait découvrir le végétarisme, puis le véganisme (Dalibor, des années plus tard, participera aussi à me sensibiliser à la question). Elle collait des fiches sur la nutrition sur toutes les portes de placard de son appartement. De mon côté, je lui ai appris quelques accords à la guitare (les quatre que je connaissais à l'époque – ça a peu évolué) et à gérer une crise d'angoisse. Paris, à l'époque, était une ville sauvage, pas encore tout à fait domestiquée.

Okalanie et moi sommes sortis ensemble. Ça a duré deux semaines, le temps qu'elle prenne conscience de son asexualité (être le révélateur d'un profond manque d'intérêt pour le sexe reste un de mes rares titres de gloire). Je n'étais pas asexuel, donc nous nous sommes séparés dans la douceur et les éclats de rire.

Depuis deux ans, elle vit avec un chanteur de rock chinois dans une HLM à deux pas de sa librairie, rue Doudeauville.

Je sors du bus. La librairie est à l'angle du boulevard Barbès et de la rue Poulet. Okalanie apparaît comme une fleur s'ouvre. D'abord une oreille, son menton rond, une mèche de cheveux noirs. Elle gagne mal sa vie, à peine mieux que moi. Elle place mes livres et ceux de Coline en vitrine. Des petits mots sur des papiers colorés donnent son sentiment sur les nouveautés. Son chiffre d'affaires tient pour une part à des livres qu'elle n'aime pas, elle dit que c'est le prix à payer pour vendre de temps en temps un livre qui deviendra le meilleur ami d'un lecteur. Sa librairie s'appelle Les Contrebandiers. Elle est toujours d'une énergie communicative. Elle ne se contente pas d'être heureuse et joyeuse, elle transmet ses forces à ceux qui parlent avec elle.

Okalanie me voit et fronce les sourcils. Tout de suite après elle me sourit et elle me prend dans ses bras. Je l'aide à sortir deux chaises et une petite table sur le trottoir. Elle nous sert un café dans des tasses en porcelaine bleue.

– J'ai mal à la tête, dit-elle, et le nouveau propriétaire de l'immeuble veut augmenter le montant du bail de la librairie. Je déteste cette journée.

– Par solidarité, je vais la détester avec toi. Il n'y a rien à faire contre le propriétaire ?

– L'expulser.

– On peut expulser un propriétaire ?

– Non. C'est déprimant. Ce monde est fou : le bon sens voudrait qu'on puisse expulser les propriétaires institutionnels et licencier les actionnaires, et c'est tout le contraire qui se passe.

Elle me dit qu'elle pense reprendre le petit commerce de fruits et légumes de son père qui part à la retraite. Dans l'idéal, elle aimerait pouvoir gérer les deux. Ses finances sont à plat, elle vend un peu d'herbe (cultivée par un ami dans l'appartement de sa grand-mère) à quelques fidèles clients de la librairie pour simplement ne pas mourir de faim.

Je la mets au courant des événements de ces derniers jours (excepté de mes rêves : c'est mon secret). Je lui parle de Sanaa et de ses demandes extravagantes. De sa mélancolie.

– Casse-lui la gueule.

– Pardon ?

– Les gens veulent changer de vie, mais ils ne

comprennent pas que c'est violent, que c'est comme se faire casser la gueule.

– Je ne vais pas la frapper.

– Suggère-lui d'engager quelqu'un pour le faire. Changer de vie est une noble ambition. Mais ça commence forcément avec des points de suture.

Nous parlons de nos jeunes années. Nous nous rappelons les cours de magie que nous avons pris pendant deux ans chez une magicienne nommée Oudina. Elle nous recevait sur le toit d'un immeuble de la rue du Faubourg-Saint-Martin. Des heures durant nous faisions des exercices, nous travaillions notre vitesse, notre agilité. J'ai tenté de me produire dans un cabaret, mais j'ai été incapable d'exécuter le moindre tour correctement (j'ai mis ça sur le compte du stress, mais mon talent limité surtout est en cause). La directrice de la salle m'a viré sur-le-champ. J'aurais aimé qu'on m'offre une deuxième chance (et une troisième, une quatrième, une cinquième, une sixième), j'aurais aimé qu'on me soutienne. Mais ceux qui soutiennent les artistes en formation, maladroits, hésitants, sont rares, on doit tout de suite être à l'aise. De ces deux années de pratique, j'ai gagné un brevet technique de magicien premier niveau (mention passable). Hormis le bac, c'est mon seul diplôme. Dans une France fascinée par les titres (y compris chez les artistes), c'est bien maigre, j'en fais la cruelle exprérience.

– Dans la catégorie des mauvais magiciens, tu étais plutôt bon, me dit Okalanie. Mais tu rechignais à faire le spectacle. Les gens sont là pour ça, Martin. Pour que tu fasses un numéro. Ton côté janséniste est chiant. Il y a deux sortes d'artistes : ceux qui osent monter sur scène et ceux qui meurent de faim.

– Je ne meurs pas de faim.

– Uniquement parce que le magicien en toi sauve l'écrivain.

Des clients arrivent, Okalanie me laisse.

J'entre dans la librairie, direction le rayon langues. Je prends un manuel de conversation en suédois. J'ai besoin de me réfugier dans une autre langue. Les langues étrangères me sont nécessaires. J'aime le portugais et le coréen. Dans une langue étrangère, je me retrouve. Et dans le suédois je retrouverai Coline et Cyrus. Okalanie me dit qu'elle aimerait bien nous rendre visite prochainement. Je lui conseille d'attendre un mois, le temps de rentrer de Suède, de changer la chaudière et de faire réparer le toit.

J'avais proposé le café Höja comme lieu de notre rendez-vous du jour. Sur internet, j'avais lu (mots-clés : « café », « suédois », « Paris ») que c'était un café cosy établi rue Vieille-du-Temple.

En entrant, guide de conversation à la main, je dis :

– *God dag.*

Le serveur, en fauteuil roulant, me répond en suédois. Je ne comprends pas.

Sanaa arrive en retard. Elle s'excuse.

Je prends nos cafés au comptoir. Je prends le mien avec de la cannelle. Je pose le plateau sur la table en bois clair. Je suis nerveux et curieux à la fois. Que va-t-il m'arriver aujourd'hui ?

Sanaa commande des gâteaux. Je lui dis que je n'ai pas faim, mais elle insiste. Notre table se couvre de pâtisseries.

– C'est absurde, je ne vais rien manger.

Ce matin, je me suis préparé une dizaine de pancakes (farine d'épeautre, lait de riz et arrow-root) que j'ai recouverts de sirop d'érable. Un délice.

– La nourriture, c'est le partage et la chaleur.

– C'est aussi le cholestérol et le diabète.

Elle réfléchit.

– Peut-être que je veux vous tuer.

J'ai un geste de recul.

– Me tuer ?

– Avec tout ce sucre, tout ce gras. Ça serait le crime parfait. Lent mais parfait. J'ai lu ça dans un roman.

– Et pourquoi voudriez-vous me tuer ?

– Les raisons ne manquent pas. Vous êtes jeune.

C'est très énervant. Boucher vos artères, c'est une manière d'égaliser notre espérance de vie et donc notre relation.

Je trouve ça drôle de savoir qu'aux yeux de certains je suis toujours jeune.

– Votre mission du jour.

Elle pose une enveloppe kraft sur la table comme si nous étions deux espions dans un café près du pont de Glienicke à Berlin. Je l'ouvre. La photo d'un homme d'une quarantaine d'années est agrafée à une fiche en carton. C'est l'homme qui a apporté le contrat lors de mon rendez-vous chez Spectrorama.

J'ai peur de comprendre.

– Vous voulez que je le tue ?

Les yeux de Sanaa brillent. Elle n'y avait pas pensé, mais l'idée ne semble pas lui déplaire. Elle sourit.

– Je veux que vous le licenciiez. Il s'appelle Daniel Torrance, il travaille pour moi depuis dix ans.

– Et vous le virez pourquoi ?

– Il a changé.

– Vous voulez dire qu'il ne fait plus bien son travail ?

– Pas du tout, il est irréprochable. Mais il a changé. Je ne sais pas ce qui s'est passé dans sa vie. Peut-être est-il amoureux, ou bien il a commencé à prendre des cours de chant, je ne sais pas. En tout cas, il est plein d'une énergie nouvelle. Ça me perturbe. J'aimais quand il était calme et terne. J'aimais l'image que j'avais de lui. Il vient tout bouleverser. Vous engagez quelqu'un, tout va bien, et tout à coup cette personne se met à être heureuse. C'est très déroutant.

– Vous ne pouvez pas licencier quelqu'un pour ça.

– Bien sûr que si. Vous n'avez pas lu le Code du travail ?

Elle prononce ces mots sans émotion apparente. C'est clair et brutal. Je n'arrive pas à fixer ce que je pense de Sanaa. Elle m'attendrit et me touche, puis elle fait tout pour que je la déteste. Son comportement (séduction et manipulation) est typique de ceux qui ont du pouvoir, de ceux qui ont du pouvoir et qui y croient. Le plus sage est de se tenir sur ses gardes quand on croise un de ces spécimens.

Les demandes de Sanaa prennent des proportions déraisonnables.

Mais j'ai besoin de son argent.

Je ne sais pas quoi faire. Je cherche une tournure de phrase pour protester. Sanaa a cette capacité à me silencer. Souvent je suis incapable de lui répliquer. Elle a une confiance en elle qui me désarçonne. Elle se lève, me souhaite une belle journée et quitte le café.

Je contemple la grande enveloppe kraft sur la table. J'attends. Je passe ma main sur l'enveloppe. Elle me semble chaude. Je suis curieux et à la fois horrifié. Je commande un nouveau café.

Finalement, je ressors la fiche en carton. J'ai envie de rencontrer cet homme, pas pour le licencier mais pour le prévenir.

J'appelle le numéro de portable. Je donne rendez-vous à l'homme à l'Institut suédois, dans le IIIe arrondissement. C'est tout près. Je peux m'y rendre à pied.

Quand je marche, le rythme de mes pas est réglé par l'intensité de mes pensées. À cet instant, je marche vite.

Mon rhume m'accompagne toujours, je suis dans une sorte de brouillard cotonneux.

Est-ce que je deviens une crapule ou un être faible, en obéissant ainsi aux injonctions de Sanaa ?

Est-ce que j'ai trahi l'enfant que j'étais ? est la seule question existentielle valable.

Je ne suis pas sûr de la réponse et ça me fait flipper. J'ai envie de reprendre le livre sur mon père. Je ne sais pas comment, mais j'ai envie de m'y remettre.

La lourde porte en bois de l'Institut suédois apparaît. J'entre dans la cour.

Une exposition de peinture consacrée à la Skördefest (fête de la Récolte) me tente, j'irai après le rendez-vous. En raison du beau temps, la terrasse a été dressée.

Daniel Torrance est assis seul à une table. Il est perdu dans ses pensées. Il a l'air heureux. Mon ventre me fait mal. La mission que m'a donnée Sanaa me rend malade. Mon père a été au chômage une bonne partie de sa vie. Je ne peux pas virer quelqu'un.

– Bonjour.

Il se lève.

– Bonjour.

– Donc Sanaa vous envoie. Je n'arrive pas à la joindre.

Ça n'a pas l'air de l'inquiéter. Le serveur vient prendre

notre commande. Un jus d'airelles pour moi, un café pour lui.

– Je n'ai pas une bonne nouvelle à vous annoncer.

Il me regarde avec de grands yeux inquiets. Mon cœur bat fort dans ma poitrine.

– Sanaa veut vous virer.

Il sourit. Il n'y croit pas.

– Ce n'est pas possible.

– Je suis désolé.

Il se mord les lèvres. De la sueur apparaît sur son front.

– Je suis là pour vous dire de ne pas vous laisser faire.

– C'est-à-dire ? C'est une décision unilatérale, non ?

Il frappe du plat de la main sur la table.

– Vous pouvez répliquer. Vous avez forcément des documents compromettants. Des emails scandaleux. Des informations financières. Monnayez tout ça.

– Vous me demandez de faire des choses illégales ?

– Pourquoi pas ? Après tout, la loi n'est pas de votre côté. Alors répliquez. Vous pourriez commencer par lui dire…

Je consulte mon manuel de conversation suédoise.

– *Ditt jävla ålahuvud.*

– Pardon ?

– C'est du suédois. Mon accent est très mauvais. Ça signifie : « Tu es une sale tête d'anguille. »

Il me regarde, interloqué, et il dit :

– Je suis attaché à Sanaa et à Spectrorama.

– Syndrome de Stockholm. Vous avez les moyens de vous venger et de faire des dégâts.

– Je ne veux pas me venger.

– Dommage : la vengeance est belle au printemps. Le syndrome de Stockholm est la base sur laquelle est fondée la société, j'ai tort d'essayer de convaincre les gens de riposter. Et puis parfois la vengeance n'est qu'un moyen de maintenir une relation. Parfois il vaut mieux partir. Il a raison. Décidément, je n'arrête pas d'avoir tort cette semaine.

– Sanaa vous a dit pourquoi elle me licenciait ?

– Elle trouve que vous avez changé.

Il fronce les sourcils.

– J'ai changé ?

– Vous avez l'air heureux.

Il est si surpris qu'il éclate de rire.

– C'est vrai, je suis heureux.

Nous discutons une demi-heure durant. Il me dit qu'il est amoureux. Il évoque son amie, une histoire belle et compliquée, elle a vingt ans de plus que lui et elle est malade. Je lui parle de Coline et de Cyrus. Nous sommes complices de félicité. Nous poursuivons notre conversation à l'expo de peinture. Je tâche de le convaincre de se venger. Au moins un peu. Il me promet qu'il y pensera.

Je prends le chemin du retour. Je marche vite, je ne sais pas ce qui dans cette ville me pousse à presser le pas. Je trouve les passants inquiets et tristes. J'ai l'impression qu'ils sont tous à la recherche d'un abri. C'est l'alerte rouge en permanence. Ils se protègent comme ils peuvent contre le stress, l'impolitesse, le cynisme : avec une cigarette électronique, un smartphone, une tasse de café, un livre ouvert, une certaine autodérision. Je me souviens, après les attentats certains ont loué la légèreté et la joie de vivre parisiennes. J'ai plutôt l'impression de voir des êtres blessés mais qui résistent, et qui avancent. Depuis les attentats, depuis que les journaux ont affiché les visages des morts, depuis que j'ai vu aussi le visage des morts après les attentats en Turquie, et ceux d'ailleurs, d'Irak, de Syrie, depuis que les victimes se sont incarnées, alors je ne vois plus des anonymes quand je regarde les passants, je vois défiler leur biographie, leurs goûts musicaux, leurs liens affectifs, leurs passions, leur profession.

J'arrive chez Joachim à 18 heures, je suis épuisé. Je termine le chili et je me glisse dans la machine à remonter le temps.

J'apparais sur les marches devant le conservatoire de musique. La porte s'ouvre, il est là, étui de guitare à la main, les yeux fixés au sol. Le cours s'est mal passé. Je me rappelle très bien le prof, il s'appelait Frédéric Kruger. C'était un sadique qui me criait dessus.

Quand mon jeune-moi me voit, la tristesse quitte son visage. Il se précipite dans ma direction. J'ai une violente envie d'aller trouver le prof et de l'engueuler. J'ai envie de venger mon jeune-moi. La fureur me fait trembler. Mais le sourire mélancolique de mon double m'apaise.

On se frappe le poing et on s'assoit sur les marches.

– Laisse tomber ces cours, ça ne vaut pas le coup. Tu reprendras plus tard. Le prof est un connard.

Il pose la guitare. Il semble soulagé que je verbalise ce qu'il ressent. Il n'a pas l'expérience, il ne sait pas que des cours de musique n'ont pas à être une torture.

Il me dit :

– Je suis désolé si j'ai été dur, hier.

– Non, tu as raison. Grâce à toi je prends conscience de ma chance, de notre chance.

La porte du conservatoire s'ouvre. Le prof de guitare sort. C'est un grand type blond. Il cherche ses clés dans sa poche. Je dis à mon jeune-moi d'aller se cacher sous le porche. Il prend son étui et court cinquante mètres plus bas. Je tire une motte de fleurs d'un pot et je la jette sur le prof. La masse de terre et de fleurs s'écrase sur son crâne. Il est couvert de terre. Il cherche autour de lui qui a pu lui lancer ce projectile, mais il ne voit personne. J'éprouve une intense satisfaction à observer son visage courroucé. Voilà pour toi, sale prof sadique.

Je vais retrouver mon jeune-moi sous le porche. Il a observé la scène, il est choqué et heureux.

Ce moment de complicité ne masque pas longtemps que je ne sais pas quoi dire. Mon plan est tombé à l'eau. Je ne peux pas l'aider. Je peux faire des farces idiotes, mais l'aider, non. Au contraire, c'est lui qui me donne des conseils.

Je décide de lui parler de Sanaa et de ce que je vis depuis lundi, de ma bizarre situation.

– Depuis quelques jours, je travaille pour une femme.

Je lui décris toutes les tâches qu'elle m'a données. Il éclate de rire.

Je lui explique que Sanaa veut changer de vie, mais que finalement elle joue avec l'idée de changement, sans rien entreprendre de réel.

– Tant pis pour elle.

– Exactement.

Je comprends aujourd'hui que la meilleure réponse à beaucoup de comportements est : « Tant pis pour elle » ou « Tant pis pour lui ». Cette sagesse simple est juste. Ça permet de ne pas s'appesantir et de passer à autre chose. Laissons les gens vivre avec leurs mythes.

Je regarde la rue qui borde le parc et le conservatoire de musique. J'ai de bons souvenirs de la vie ici. Pleins. Malgré les difficultés, la tristesse et les humiliations, c'était une époque joyeuse aussi, légère et riche, avec mon frère, ma mère, mon père. C'était une belle vie, et Morsang-sur-Orge était une ville extraordinaire pour la simple raison que des êtres magnifiquement étranges y ont vécu et y vivent toujours. Comme on dirait pour un vin naturel : c'est un bon terroir, difficile par bien des aspects, mais fertile. Je pense à mon frère et à ma mère, qui doivent être à deux pas d'ici, et ça m'émeut. Mon père habite plus loin, à Orly. Je pense à lui, je pense aux gestes du quotidien qu'il doit être en train de faire. À cet instant, il est vivant. Je sens sa présence. Je retiens mes larmes.

– Tu as l'air mélancolique, dit mon jeune-moi.

Je me reprends.

– Être ici me rappelle beaucoup de choses.

– J'imagine.

– Je voulais te dire que tu te débrouilles bien. Je suis fier de toi. Tu as un esprit de contradiction un peu irritant, mais tu tiens le coup.

– Cool. Merci.

L'un et l'autre nous nous attendons à ce que le rêve finisse. Je peux me réveiller dans la machine de Joachim d'un instant à l'autre.

– Tu sais, dit-il, j'ai réfléchi et je veux quelque chose.

– Je t'écoute.

Il baisse les yeux et les relève. Son regard est sérieux et impertinent. Il prend sa respiration et il dit :

– Je veux que tu sois un héros.

Je ne m'attendais pas à ça. Comme je suis désarçonné, je plaisante :

– Tu es un héros, toi ?

Il me regarde comme si j'étais idiot.

– Bien sûr. Tu ne te rappelles pas ? Vivre le quotidien d'un jeune adolescent en banlieue parisienne, ça *nécessite* d'être un héros. Je veux que tu n'oublies pas ça. Tu *dois* être un héros. Pas un héros idiot, hein, je ne te demande pas de foncer vers les conflits. Je te demande d'être un héros de la vie quotidienne, un héros des petites choses et surtout un héros dans tes sentiments.

Ça me touche. Je me sens investi. Je veux qu'il soit fier de moi.

– C'est promis.

– Et tu dois permettre que des gens rejoignent ton camp. Sois accueillant envers ceux qui veulent changer.

– Pour me constituer une armée ?

– Oui : une petite armée secrète et joyeuse.

Nous nous taisons. Je remarque que l'air sent l'orange. Le contour des choses devient flou.

Je me réveille.

Cette semaine semble durer depuis des mois. Ce matin, j'ai skypé avec Coline. Cyrus était sur ses genoux. Il souriait et babillait. J'ai finalement raconté ma rétrogradation de scénariste à esclave personnel. Ça a bien fait rire Coline.

J'ai donné rendez-vous à Sanaa dans un café de la rue de Varenne, à côté du musée Rodin, et surtout de l'ambassade de Suède.

Sanaa pose une épaisse enveloppe cartonnée bleue sur la table.

– Vous allez chez le médecin.

– Je crois que mon rhume est en train de passer.

– Qu'est-ce que vous êtes égocentrique. Vous avez rendez-vous avec *mon* médecin pour lui parler de moi.

– *Det är absurt.*

– Pardon ?

J'ai appris cette phrase dans le guide de conversation

suédoise. Chaque fois que je parle suédois, j'ai l'impression de me rapprocher de Coline et de Cyrus. Ils apparaissent devant moi.

Je traduis la phrase pour Sanaa :

– C'est absurde.

Mais pas plus que tout ce qui se passe depuis le début de la semaine.

Elle pousse l'enveloppe vers moi. Je lui demande :

– Vous êtes malade ?

Sanaa a les yeux pétillants, elle ne semble pas fatiguée.

– C'est une question très indiscrète. Voici la liste de mes symptômes et quelques documents complémentaires. Vous passerez l'examen à ma place.

– Ce n'est pas très scientifique.

– Je n'ai pas le temps d'être scientifique. J'ai trop de travail. Mon médecin m'enverra un compte rendu de la visite, et s'il y a besoin d'examens supplémentaires je m'y soumettrai.

Elle s'excuse, d'autres rendez-vous l'attendent, elle sort un billet, je lui dis que j'ai payé en arrivant, elle se lève et quitte le café.

Pendant le trajet, j'apprends ses informations médicales par cœur. Le cabinet du médecin se trouve en plein cœur du VIe arrondissement.

J'arrive dans une salle d'attente qui obéit à l'équation bourgeoise du quartier : parquet, moulures, chaises design. Pas de magazines. Je suis seul.

La porte s'ouvre et une grande femme m'invite à entrer. Elle s'assoit derrière un bureau en verre en forme de Z.

– Alors, chère Sanaa, qu'est-ce qui vous amène ?

Apparemment, ce n'est pas la première fois. La docteure est habituée.

Je tends une lettre écrite par Sanaa. La docteure la lit et rentre les informations dans son ordinateur.

Elle me demande :

– Rythme cardiaque ?

Sanaa a noté son rythme cardiaque et sa tension. Je lui transmets les chiffres griffonnés sur une fiche cartonnée.

– Combien de repas par jour ?

– Deux. J'ai tendance à sauter le petit déjeuner.

Elle me donne des recommandations diététiques. Je les reporte consciencieusement dans mon carnet.

– Vous faites du sport ?

Je récite :

– Je continue mes cours de kung-fu deux fois par semaine. Je ne suis plus aussi souple qu'avant, mais je m'en sors plutôt bien.

– Est-ce que vous vous levez en pleine nuit pour une miction ? Pour uriner.

J'ai un doute. Je soulève la feuille posée sur mes genoux.

– Oui. Toutes les nuits. Je fais mes exercices de périnée tous les matins.

– Très bien. Selles ?

– Tendance à la constipation. J'ai régulièrement des hémorroïdes.

La docteure pianote sur son clavier.

– Dernière mammographie ?

– Il y a six mois. Tout était normal. Quelques macrocalcifications.

– Ouvrez la bouche.

Du dossier, je sors la photo de la cavité buccale de Sanaa. Je la mets devant mon visage. La docteure saisit une lampe et s'approche. Elle étudie la bouche de sa patiente. Elle se rassoit.

– Je vais examiner vos grains de beauté.

Je lui tends les trente-huit photos des grains de beauté du corps de Sanaa Okaria. La docteure les observe un par un à la loupe. Tous ces clichés étalés sur le bureau donnent l'impression que le corps de Sanaa a été découpé en puzzle. On a accès à son intimité, mais, comme elle est circonscrite, elle reste abstraite. C'est étrange, effrayant et beau. Voici les trente-huit grains de beauté de Sanaa Okaria.

La docteure relève la tête.

– Je vous prescris de nouveaux examens.

– J'ai un problème ? Quelque chose ne va pas ?

– À votre âge, il y a toujours des choses qui ne vont pas. Ne vous inquiétez pas : la médecine la plus moderne est au service de gens comme vous.

Ma gorge se serre.

– Et cette fois Mme Okaria devra s'y rendre elle-même.

La docteure griffonne quelques mots sur une ordonnance et me la donne.

En guise de paiement, je pose une enveloppe sur la table.

J'espère que Sanaa va bien.

Toute la journée, je sens mes organes dans mon corps, j'ai l'impression qu'ils sont blessés, abîmés, vieillis.

Le serveur me regarde et dit :

– Vous avez l'air d'avoir peur de la vie.

Il a parlé sur un ton pas très sympathique, mais il a raison. Comment ne pas avoir peur ?

– C'est vrai. J'ai peur de la vie. Mais je vole beaucoup à la peur.

Cinq jours que je suis ici et j'en ai assez. Je veux rejoindre Coline et Cyrus.

Je pense à une émission sur Salinger écoutée il y a peu. Les deux invités se demandaient pourquoi Salinger s'était exilé à la campagne. C'était un mystère pour eux. De mon point de vue, la réponse est simple : parce que la vie sociale n'est pas possible. Parce que vivre réellement nécessite de se retirer du piège de la norme des relations interpersonnelles.

Je crois que mon cerveau d'écrivain a la capacité de tous les organes : comme le rein il équilibre, comme les poumons il absorbe l'oxygène, comme le foie il filtre les impuretés. Cette semaine me nourrit. Je suis malade et courbaturé mais je me sens plein. L'énergie court en moi.

J'ai toujours réussi à trouver des vitamines dans les coups durs. Ce n'est que récemment que j'ai compris qu'il n'y en avait pas moins dans le bonheur.

J'ai hâte de retrouver les amis de Bruxelles et de Belgique, nos soirées et nos discussions, nos projets de livres et de spectacles, l'agrandissement de l'atelier monstrograph. La vie est là-bas. Nous avons monté une coopérative pour isoler les maisons, récupérer les eaux de pluie et installer des moyens alternatifs de production d'énergie. Nous nous organisons pour survivre. Bientôt, Coline et moi pourrons à nouveau inviter ceux qui sont éparpillés aux quatre coins de la planète à venir passer du temps à la maison.

Mes amis sont là pour faire barrage au monde.

Nous avons faim de choses, d'idées, et nous nous nourrissons d'art sous toutes ses formes. Il y a de la rage en nous, mais c'est une rage créatrice. Mes amis, je les appelle les *inadaptés*. Parce que entre le monde et nous il y a un problème. Nous avons des rêves de vie simple. Pas pour faire la révolution, mais pour survivre, bon dieu, pour ne pas mourir de faim et s'assécher l'âme à force de petits boulots de merde. Comme ces absurdes travaux que me demande de faire Sanaa. Ça doit finir. Mon téléphone sonne. Je ne vais pas décrocher. C'est un photographe qui travaille pour un journal qui m'a décrit comme un écrivain « bobo », l'insulte à la mode. Ce terme est idiot, on peut être pauvre et être traité de bobo (ou de hipster), on peut être un probo (un prolétaire bohème) et être appelé bobo.

Je n'ai pas envie de faire d'efforts. En quinze ans de publication, j'ai rencontré trois bons photographes, trois photographes qui avaient un regard original et dont les images étaient magnifiques. J'aimerais tant que des photographes aient l'idée (ou la liberté) de me photographier en train de préparer un biberon, de préparer du houmous ou de jouer de la guitare.

Quand je regarde des photos d'écrivains, je fais une overdose de machines à écrire, de stylos-plumes, d'ordinateurs, de cigares, de cigarettes, de fume-cigarette, de chats et d'air sérieux. Je veux des photos d'écrivains changeant leur enfant, l'aidant à faire du découpage, cousant un ourlet, en pleine séance de jardinage ou en train de préparer à manger. Je comprends l'importance pour certains du fétiche et d'un sacré qui passe par le fantasme historiquement construit du cliché de l'artiste au travail, mais, de mon point de vue, donner le biberon, bricoler, travailler l'interface de son site internet, discuter sur facebook, expérimenter une nouvelle recette, ça fait partie de la vie d'un écrivain. Et ça compte dans le travail. Le trivial n'est jamais trivial. Il est sublime et inspirant.

Ce matin, je regardais les vinyles de Joachim et de Farah et j'ai été époustouflé par la beauté de certaines pochettes. Je rêve de photos et de graphismes aussi originaux que celui du *Underground* de Thelonious Monk.

Voilà, je demande deux choses dans la représentation des artistes : du quotidien sublime et de l'excentricité.

À partir d'un certain âge, on apprend à ne plus se forcer. On apprend à ne plus être poli. À ne plus tout accepter parce qu'on est bien élevé. On ne claque pas forcément des portes. Mais on ne rappelle pas. On ne répond pas. On disparaît. La vie est courte et il est hors de question que je la passe à obéir à des injonctions que je réprouve. Je n'ai pas de temps à perdre en conneries.

Sanaa doit disparaître de ma vie.

Je paye mon café et je prends le bus pour rentrer chez Joachim.

– C'est la dernière fois qu'on se voit, alors ?

Je viens de dire à mon jeune-moi que je quittais l'appartement de Joachim pour rejoindre Coline et Cyrus. Cette fois, je suis apparu sur un morceau de béton abandonné dans un terrain vague. C'est un lieu où je retrouvais V. et R., on allumait des pétards, on parlait jeux vidéo, on disait du mal de tout ce qui nous faisait mal, on riait à des choses absurdes et légères.

– Oui.

Il prend un air grave, ramasse son skate et le serre contre lui. Puis il sourit.

Je lui dis :

– À un moment j'ai pensé que tu pouvais être mon *Doppelgänger*.

– Ton quoi ?

– Mon double maléfique.

– Eh ! Je ne suis pas ton ennemi. Je suis *toi*. Nous sommes *nous*.

– Certaines fois tu n'as pas pris de gants.

Il me regarde avec un certain triomphe.

– Désolé. Tu veux dire quand je parlais de ta calvitie ?

– Je ne perds pas mes cheveux, c'est mon front qui grandit. Non, je pensais plutôt à quand tu critiquais la manière dont je cherchais à t'aider.

– Ah oui. Ton arrogance.

– Putain, tu es dur quand même ! Tu sais, c'est facile d'avoir raison quand on a 12 ans. Je veux dire, c'est quand même plus simple. Tout est plus clair.

– Ce n'est pas ma faute si tu n'as plus 12 ans. Mais je suis désolé si je suis dur. Après tout, tu es celui que je deviens. Je vais nous observer grandir et je vais faire en sorte qu'on ne soit pas trop lamentable.

– Ça me paraît honnête.

Il dit :

– C'est triste qu'on ne se revoie plus.

– On se revoit tout le temps et à chaque instant. Tu es à mes côtés pour toujours.

– Tu es aussi à mes côtés pour toujours.

Un moment de silence. Puis il ajoute :

– N'oublie pas d'être heureux. Et j'aimerais que tu n'oublies pas la musique que j'écoute et les livres que je lis aujourd'hui. Ne sois pas ce genre d'adulte qui ne lit plus de littérature jeunesse ou de genre, et qui renie ses goûts passés. Alors tu penses peut-être que certains de mes goûts musicaux sont nazes. Ok. Je le conçois. Mais écoute cette musique quand même. Ne deviens pas trop chic.

— Je te le promets.

Mon corps est électrisé. Je me jure de ressortir dès mon retour les vinyles de Renaud, Michael Jackson, Jacques Higelin, Madonna, Queen, Joe Dassin, Indochine, Michel Berger, Jean-Jacques Goldman et Anne Sylvestre.

Je dis :

— J'ai une dernière chose à te demander.

— Je t'écoute.

— Tu peux embrasser maman, papa et Gaël pour moi ? Embrasse-les très fort.

Il hoche la tête.

— Promis. Et toi, tu peux embrasser ta copine de ma part ? Avec la langue ?

— Hé !...

Nous éclatons de rire.

Je sens que je vais bientôt me réveiller, alors je lui demande un bout de papier. Il me tend un cahier. Je note : « *Don't let the fuckers get ya. They can either help you, or not help you, but they can't stop you.* » Jim Jarmusch a dit ça. Christophe, un ami photographe, m'a envoyé ce bon conseil à un moment où je vivais un moment difficile.

Je lui rends le cahier. L'antique contrebande des mots écrits sur du papier.

Je lui prends les mains et je les serre dans les miennes.

On se regarde. Pour la première fois, nos yeux se rencontrent. J'ai l'impression d'un vertige, tout tourne, je me sens comme aspiré vers ses pupilles, je me laisse porter par le courant, mon corps tourne, tourne, ses yeux deviennent de plus en plus grands, les couleurs de ses iris débordent comme un océan, je plonge en lui.

Noir.

Une sensation douce et chaude.

Je me réveille.

Il y a une heure, j'ai appelé Sanaa pour lui dire que je voulais la voir. Elle m'a demandé de passer dans l'immeuble de Spectrorama.

L'ascenseur monte en faisant un bruit de feulement. Je suis décidé, peu importe les conséquences. Je vais mettre les choses au point. Je suis épuisé, je ne vais pas courir à travers Paris pour faire dieu sait quoi. Je transpire. Mon t-shirt sous ma chemise colle à ma peau. J'ouvre mon manteau. J'aurais aimé changer de pantalon ce matin, mais je n'en ai pas pris de rechange.

Nous avons passé cinq jours ensemble. Par la force des choses, nous sommes proches. Peut-être aussi parce que nous nous ressemblons.

J'ai eu tort depuis le début, car j'ai écouté Sanaa. J'ai oublié cette vérité : quand on nous parle, on tente de nous emprisonner.

Le malheur du monde vient du fait qu'on acquiesce

à ce qu'on nous dit. On ne devrait croire que ce qu'on imagine soi-même, que ce qu'on récolte. J'ai eu tort de croire Sanaa quand elle m'a dit que je devais être son employé. J'aurais pu partir, elle ne m'aurait pas fait de procès, ç'aurait été absurde.

Malgré tout, je ne suis pas mécontent de la semaine passée. Les situations inconfortables sont fertiles.

Un écrivain doit profiter des malentendus et ne pas toujours les détromper. Il doit être rusé et prudent (ce que je ne suis pas assez). Il a compris que dire la vérité revient à placer une cible sur son cœur. Il lui faut survivre au savoir qu'il fait apparaître.

On se trompe à chercher des rapports honnêtes dans les relations humaines autres qu'amicales et amoureuses. Non. La règle, c'est subterfuge et mensonges. Bien sûr s'y mêlent des sentiments sincères. On est dans le gris tout le temps. Il ne faut pas refuser ce gris, car le rejeter signifie ne pas se confronter à des expériences qui, malgré tout, seront source de création. Durant cette semaine avec Sanaa, j'ai pris des coups, j'ai été humilié, mais j'ai vécu des choses qui me marqueront à jamais, j'en ai retiré un bien intime. Je crois que le critère le plus important est de savoir si on peut prendre un café avec quelqu'un sans inconfort. C'est lui qui permet de savoir si ça vaut la peine de se parler et de travailler ensemble, si la difficulté d'une relation sera rachetée par les étincelles et la naissance d'idées nouvelles.

L'ascenseur s'arrête, je prends ma respiration.

Sanaa est assise à son bureau. Elle fait partie de ces femmes qui ressemblent aux reportages que l'on fait sur elles. Elle est élégante et altière.

Les plantes dans leurs grands pots semblent avoir poussé depuis la dernière fois. Le café est déjà servi dans nos tasses en porcelaine ivoire. Cette fois-ci, ni gâteaux ni fruits confits.

J'annonce à Sanaa que je vais partir, que je n'irai pas au bout des dix jours de notre étrange relation professionnelle.

Elle ne réagit pas. Elle soulève sa tasse et boit un peu de café. Elle repose sa tasse.

– Vous avez raison.

Elle ne dit plus rien. Ce n'est pas un silence gênant. Nous nous sourions.

Sanaa éclate d'un petit rire. Elle me dit :

– Je suis désolée. J'ai abusé de mon pouvoir. Mais c'est un pléonasme, bien sûr. Je cherche une solution à ma vie. Vous savez, quand j'étais jeune, je rêvais de produire les metteurs en scène que j'aimais. Mais ils étaient morts ou bien trop célèbres pour que je travaille avec eux. Alors j'ai produit les films qui inspireront de futurs producteurs et metteurs en scène.

– C'est déjà pas mal.

– Je trouve ça déprimant. Je voulais produire Hitchcock et Pasolini, Ozu et Ford. Pas leurs équivalents futurs. Je voulais produire des morts. C'est le nœud du problème, je crois. Je passe l'essentiel de mon temps à porter des films qui inspireront des gens qui ne sont pas moi. Je veux retrouver l'excitation de la jeunesse. Pas l'absence de rides, mais l'absence de certitudes. Alors qu'est-ce que je peux faire ?

Les êtres qui demandent conseil sont rares. Je dois bien reconnaître cette qualité à Sanaa. Elle fait preuve d'humilité. Finalement, elle est peut-être capable de changer.

Je prends le temps de réfléchir. C'est la dernière fois que nous nous voyons, je ne veux pas être trop rapide, je ne veux pas lui servir une banalité rassurante, je ne veux pas non plus tomber dans l'ironie puante. Je veux dire quelque chose de juste, quelque chose qui durera. Je veux dire quelque chose à Sanaa que je m'apprendrais à moi-même. Mon esprit s'emballe comme s'il était porté par *Divenire* de Ludovico Einaudi.

Je porte la tasse de café à mes lèvres. Les meilleures idées, les pensées les plus justes viennent quand on n'y réfléchit pas, dans ces moments de suspens où tout se brouille et tout s'éclaire en même temps, où l'on est l'instrument de la révélation, son créateur tout autant que son spectateur.

Je dis :

– Soyez ridicule.

Je me parle à moi-même aussi. Mon conseil n'est valable que parce qu'il est d'abord pertinent pour moi. Je suis souvent ridicule, je n'ai pas besoin de faire d'effort pour ça, mais je ne le suis pas encore assez, je dois assumer plus complètement ma nature sociale, oser, casser cette convention qui veut qu'on cherche à éviter le ridicule et le mépris à tout prix, casser ce sentiment de honte.

Sanaa se penche vers moi et plisse les yeux d'incrédulité.

Je lui explique :

– C'est le seul régénérant existentiel. Vous voulez être jeune à nouveau ? Alors soyez vraiment jeune, c'est-à-dire pas comme ces vieillards de 20 ans, mais comme les gamins de 12. Ils sont mal habillés, ils parlent sans se soucier de l'opinion générale, ils posent beaucoup de questions, ils ne pensent qu'à manger et à dormir, ils sont enthousiastes et ils n'ont qu'une vague idée du monde. Ils sont ridicules, mais magnifiquement ridicules. C'est un ridicule décapant et inspirant, profond et subversif.

Sanaa comprend que je ne plaisante pas. Elle dit :

– Je ne sais pas si j'en suis capable.

Elle se passe les mains sur le visage.

– J'ai passé mon existence à faire en sorte de n'être *jamais* ridicule.

– C'est compliqué, et pourtant c'est sans risque. Je ne vous connais que depuis quelques jours, mais il est clair que vous avez un potentiel de ridicule qui ne demande qu'à éclore. Avant de nous quitter, je peux faire une dernière chose pour vous.

Je contourne son bureau. Elle se lève de sa chaise. Nous nous faisons face.

Je la prends contre moi et je la serre quelques secondes. C'est la chose la plus importante que je peux lui donner. C'est réel et sincère : je lui offre un geste. Nous sommes quittes.

En guise d'adieu, je lui dis :

– *Krya på dig.*

Les matins d'avril sont parmi les plus belles expériences esthétiques. L'air est brumeux et le ciel bleu.

Je viens de refermer mon livre de Tchouang-tseu sur cette phrase : « Si tu épouses les métamorphoses de la réalité, tu n'es plus soumis à aucune contrainte. » Le RER m'emmène vers l'aéroport. Je sors de mon sac le tas de feuilles du livre sur mon père. Je parcours des yeux les premières pages. Ce n'est pas le livre que je veux faire. Mon père mérite mieux.

Je veux composer un livre vivant. Un livre dur et qui pourtant ne sera pas du côté de la colère et de la maladie. Je dois ça à mon père, à ma mère et à mon frère. Je me le dois. Je ne veux pas qu'on me plaigne, je ne veux pas qu'on plaigne mon père, je veux que mon livre donne de l'énergie, car l'héritage de mon père, c'est la contradiction et la joie.

Je sais que dans l'acte d'écrire, mais aussi dans le métier de vivre, je ne suis pas seul. Je suis accompagné. Celui que j'étais à 12 ans veille sur moi et m'encourage. Il me chuchote des choses. Je serai toujours deux. Je serai toujours deux pour affronter la vie.

J'ai une dette envers mon jeune-moi, et donc envers moi-même : ne pas rester attaché à mes blessures. L'attachement au malheur, le souvenir des souffrances, ce n'est pas de la fidélité, c'est continuer les brimades. Mais cette fois c'est notre main qui frappe. Il faut refuser que la douleur résonne, refuser qu'elle soit une onde, la circonscrire pour qu'elle soit un point. Être malheureux, c'est trahir. La joie est un acte de courage politique.

Mon jeune-moi m'a rappelé que ma vie était belle et libre malgré les difficultés. Je ne veux pas souhaiter mieux. Je rêve parfois d'un grand succès, le genre de succès qui permet de s'acheter un manoir ou une montgolfière, et d'être à l'abri pour des années. Mais ce n'est pas important. Se débrouiller avec le monde et s'en sortir, ce n'est « déjà pas mal », c'est le mieux qu'on puisse espérer, le mieux que je doive espérer.

L'idéologie du succès est une idéologie qui mine et détruit. Sanaa est prisonnière justement parce qu'elle a remporté tous ses combats. Sa prison est de n'avoir pas connu l'échec. Elle s'est tellement bien sauvée de la misère qu'elle ne s'appartient plus.

Il me semble que j'ai passé ma vie à faire quelque chose de mes échecs. À ne pas me laisser faire. À tel point que lorsque viennent de bonnes nouvelles je ne sais pas comment réagir, je n'ai pas de mode d'emploi pour habiter le bonheur imprévu. Je reste sceptique et interdit. Mon ambition c'est ça : apprendre à vivre la félicité qui ne trouve pas son origine dans le malheur, qui dépend non pas de moi mais de ce que l'on me donne. Je dois apprendre à recevoir. Même si accepter de recevoir c'est se mettre en situation de fragilité : cela crée de l'espérance, la déception est possible.

Trop souvent je favorise la tristesse pour, je crois, replonger dans des états d'enfance et me relier à l'histoire familiale. Ça confirme ma vision tragique de l'existence. Je me fais du mal pour me reconnecter à mon passé, rester proche de l'enfant que j'ai été. C'est une tragique erreur. Un poème de Guillevic me revient à l'esprit : « Il a assez vécu / Pour savoir vivre / Hors de son malheur. »

Il ne faut pas trop croire aux coups.

Le blues et le jazz viennent de là. C'est une réplique et une éthique : affirmer qu'on ne respecte pas la douleur passée et qu'on est heureux, qu'on est sans colère, malgré toutes les raisons. Le blues nous montre qu'il n'y a pas de séparation entre l'art et la vie. L'art est une ruse des faibles. Comme la capoeira, cet art martial créé pour ressembler à une danse et ainsi tromper la vigilance des esclavagistes, comme le détournement d'outils agricoles en armes par les paysans de l'île d'Okinawa, l'art de l'écriture est un art du combat, de la riposte et de l'invention existentielle, mais qui maquille et travestit son but pour ne pas être immédiatement réprimé. Ça ne marche pas toujours. Parfois notre contrebande est dévoilée. Mais on se relève.

Le RER passe dans le tunnel qui mène à l'aéroport.

Il y a des moments où le désir d'écrire est impérieux, tout mon corps est mobilisé dans le livre à venir, mon esprit transforme le monde en complice et en matière.

Je ne pense pas que je sois un héros comme le voulait mon double. J'en suis loin. Mais cette ambition est comme une luciole qui m'accompagne.

Je n'aimerais pas être à la place de quelqu'un qui pense que les livres ne changent pas la vie. J'écris pour essayer de sauver les autres. Non, je rectifie : j'écris pour me sauver moi-même. Peut-être que ce n'est pas contradictoire. Une chose est sûre : c'est le signe d'une ambition démesurée, sans doute d'une certaine folie. Tant mieux. On est vivant pour ne surtout pas être raisonnable.

J'ai toujours pensé qu'on sauvait par des gestes furtifs et des actes improuvables. Il s'agit de rendre les fantômes fiers de nous.

Selon le naturaliste Cuvier, le globe terrestre se serait formé à partir de séries de catastrophes : éruptions, tremblements de terre. Son collègue Lyell, au contraire, pensait que c'était l'accumulation de petits événements qui avait fini par produire des effets colossaux et par former le paysage terrestre que nous connaissons aujourd'hui.

Dans nos vies humaines, nous avons tendance à être du côté de Cuvier. Moi le premier. J'accorde trop d'attention aux catastrophes et aux événements gigantesques. Mais c'est une vérité biaisée et incomplète. Je crois que Lyell a aussi raison : ce sont des millions d'actes minuscules, *a priori* anodins, de rencontres, de sourires, de paroles – échanger, lire un livre, discuter avec un enfant, faire la cuisine, jouer avec un chien, observer un oiseau –, qui ont l'influence la plus considérable sur nos vies.

J'ai 12 ans, et toute ma vie sera un combat pour défendre cet âge.

Remerciements

Merci à Coline, *minha paixão*. Merci à Cyrus de me donner tant d'énergie et d'être si étonnant et si magique. Ma famille et mes amis me constituent aussi comme écrivain. Une pensée pour Yal Ayerdhal. Yal était un écrivain que j'aimais et un *mensch*. Il a été là pour moi quand le premier Pit Agarmen était refusé partout. Il m'a encouragé. C'était un homme bon, et cette bonté rayonnait, c'était solide, c'était une force. Il se mettait aussi en colère, mais sa colère était belle et joyeuse. Il n'avait pas oublié que les artistes sont aussi un collectif, que c'est cette conscience qui permet aux écrivains individualistes de vivre aujourd'hui. En cela, Yal était un héritier de Beaumarchais, de Balzac et d'Hugo. Et puis c'était un auteur qui n'obéissait pas aux frontières, et ça, bon dieu, ça mérite d'être salué.

Une pensée forte et douce et aimante pour Jyoti Singh et toutes les Jyoti Singh du monde. Une pensée forte et douce et aimante pour Alan et Xalib Kurdî et tous les Alan et Xalib Kurdî du monde. Merci à la librairie L'Éternel Retour à Paris. Merci à Typhaine Marc, une libraire. Merci à Emmanuelle Adam.

J'aime parler des outils, voici donc les miens : le Bic M10, le bauhaussien Lamy cp 1, et un stylo créé grâce à une campagne de financement participatif : le phx-pen (le *crowdfunding* semble donner naissance à un nouvel artisanat, c'est une bonne nouvelle). Et mon MacBook. Un pupitre de musicien pour écrire debout (merci à François Bon).

Mes traitements de texte sont Bean (simple et élégant, créé par James Hoover), Byword 2 (pour l'écriture en Markdown et pour s'assurer d'avoir des fichiers pérennes) et LibreOffice. Depuis peu, s'y est ajouté InDesign. Antidote est aussi un outil précieux.

Merci à Wikipédia et à ses contributrices.

Si ce livre (roman/autofiction/science-fiction) est intimement lié à des questions et à des angoisses personnelles (et à l'invention de parades et de contre-attaques), il a aussi des racines dans des œuvres aimées. Cela ne surprendra pas si je cite *L'Autre*, de Jorge Luis

Borges. Je veux aussi mentionner *La vie est un songe*, de Calderón, *Back to the Future* (Bob Gale et Robert Zemeckis) et la série *Quantum Leap*.

L'Art de revenir à la vie est un livre que j'ai commencé il y a quatre ans. Ces années ont été riches : beaucoup de lectures, de musique (ce soir, *Confessions nocturnes*, *Mauvaise Foi nocturne*, Les Vikings de la Guadeloupe, Tim Maia, Ropoporose, Tom Zé, Keny Arkana – *Vie d'artiste* –), de films. Je tiens à mentionner les œuvres de Jane Goodall, de Frances Yates, David Graeber, Carol J. Adams, Georges Didi-Huberman, de Karl Polanyi, de Francis Hallé. Les passages de Tchouang-tseu cités dans le livre sont issus de la traduction de Jean-François Billeter de *Leçons sur Tchouang-tseu*, paru aux éditions Allia.

En cet instant (je suis à mon bureau, le 2 décembre 2015, il est 19 h 24), je ne sais pas pourquoi, je pense à Ozu et je pense à *L'Été de Kikujiro* de Kitano, et à Joe Hisaishi. Je pense à Primo Levi, à Charlie Chaplin. Je pense aussi (c'est récurent ces dernières années) à Victor Klemperer (*LTI*).

J'embrasse les ami.e.s et je les serre dans mes bras.

Perfer et obdura ; dolor hic tibi proderit olim.

J'espère qu'il y aura de la neige, ici ou en Alsace. Avec la neige, ce qui compte pour moi, après les livres, la musique, les films, c'est le chocolat (Claudio Corallo et Nicolas Berger), le café, le pu-erh, les yōkai, les guitares et les ukulélés.

Quelques codes : PstcrdT, MdreiT, W2T, Bnnch, EoT, HJ, TM, OS.

J'ai regardé *In Treatment* (merci à Hagai Levi), *Show Me a Hero*, et surtout la grande série géniale méconnue, *The Booth at the End*.

l.a.o.t.l.c.o.r.o.r.o.i.e.o.s.s.d.l.g.q.

Une pensée pour trois héros modernes : André Bamberski, Anton Krasniqi et Jacqueline Sauvage.

www.martin-page.fr
www.monstrograph.com

Pour les citations en exergue

Gilles Deleuze, « Trois problèmes de groupe », préface à l'ouvrage de Félix Guattari, *Psychanalyse et Transversalité*, Librairie François Maspero/Éditions de la Découverte, 1972, 2003.

Thomas Vinau, *La Part des nuages*, Alma Éditeur, 2014.

Du même auteur

ROMANS ET ESSAIS

Comment je suis devenu stupide
Le Dilettante, 2001
et J'ai lu, n° 6322

Une parfaite journée parfaite
Éditions Mutine, 2002
et Points, n° P2303

La Libellule de ses huit ans
Le Dilettante, 2003
et J'ai lu, n° 7300

On s'habitue aux fins du monde
Le Dilettante, 2005
et J'ai lu, n° 8266

De la pluie
Ramsay, collection « Petits traités », 2007
et J'ai lu, n° 9663

Peut-être une histoire d'amour
Éditions de l'Olivier, 2008
et Points, n° P2211

La Disparition de Paris et sa renaissance en Afrique
Éditions de l'Olivier, 2010
et Points, n° P2540

La Mauvaise Habitude d'être soi
(dessins de Quentin Faucompré)
Éditions de l'Olivier, 2010
et Points, n° P2840

La nuit a dévoré le monde
(sous l'alias Pit Agarmen)
Robert Laffont, 2012

L'Apiculture selon Samuel Beckett
Éditions de l'Olivier, 2013
et Points, n° P3189

Manuel d'écriture et de survie
Seuil, 2014
et Points, n° P4192

Je suis un dragon (Dragongirl)
(sous l'alias Pit Agarmen)
Robert Laffont, 2015

La Charité des pauvres à l'égard des riches
Les Éclairs, 2016

LITTÉRATURE JEUNESSE

Le Garçon de toutes les couleurs
L'École des loisirs, 2008

Je suis un tremblement de terre
L'École des loisirs, 2009

Conversation avec un gâteau au chocolat
(dessins d'Aude Picault)
L'École des loisirs, 2010

Traité sur les miroirs pour faire apparaître les dragons
L'École des loisirs, 2010

Le Club des inadaptés
L'École des loisirs, 2011

La Bataille contre mon lit
(dessins de Sandrine Bonini)
Le Baron perché, 2011

Le Banc de touche
(avec Clément C. Fabre)
Éditions Warum / Vraoum, 2012

Plus tard, je serai moi
Éditions du Rouergue, 2013

Le Zoo des légumes
(dessins de Sandrine Bonini)
L'École des loisirs, 2013

La Folle Rencontre de Flora et Max
(avec Coline Pierré)
L'École des loisirs, 2015

La Recette des parents
(dessins de Quentin Faucompré)
Éditions du Rouergue, 2016

LIVRES NUMÉRIQUES

Genèse d'un roman
Robert Laffont, 2012

La Vengeance de Steve Jobs
Robert Laffont, 2014

Emma et la Nouvelle Civilisation
(avec Samuel Jan)
La Marelle, 2015

COORDINATION D'OUVRAGE COLLECTIF

Collection irraisonnée de préfaces à des livres fétiches
(avec Thomas B. Reverdy)
Éditions Intervalles, 2009

SOUS LE LABEL « MONSTROGRAPH »

Tu vas rater ta vie et personne ne t'aimera jamais
2012

If disease were desserts
2013

16 ways to get a boner
2015

N'essayez pas de changer :
le monde restera toujours votre ennemi
(avec Coline Pierré)
2015

RÉALISATION : NORD COMPO À VILLENEUVE-D'ASCQ
IMPRESSION : CORLET S.A. À CONDÉ-SUR-NOIREAU
DÉPÔT LÉGAL : AVRIL 2016. N° 117496 (180137)
Imprimé en France